LE COSE

NuoveVoci

Mario Vassalle

Conchiglie
Sea Shells

Albatros Il Filo

© 2009 Gruppo Albatros Il Filo S.r.l., Roma
www.ilfiloonline.it

ISBN 978-88-567-1180-6

I edizione giugno 2009
stampato da Digital Team sas, Fano (PU)

Prefazione

L'opera di Mario Vassalle si caratterizza immediatamente per la scelta del frammento. La maggior parte delle composizioni raccolte in questa silloge, infatti, predilige una forma epigrammatica, a volte un semplice distico, che contribuisce però, nella sua brevità, a dare un fortissimo impatto emotivo alla parola e ai concetti espressi.

Privati spesso di ogni contesto, questi versi vestono l'abito di illuminanti sentenze.

Certamente il rischio di un tale andamento rapsodico rischia di essere quello di una frammentarietà che non dà spazio a un discorso articolato ed esaustivo, tuttavia la sapiente narrazione di Mario Vassalle fa di queste composizioni tessere di un disegno di più ampio respiro.

Molte sono le tematiche che l'autore affronta in questi aforismi, ma possiamo dire in maniera generale che Conchiglie – Sea Shells possa essere considerato un percorso interpretativo dell'esistenza alla luce degli occhi dell'autore.

Sebbene infatti lo sguardo di Vassalle sia fortemente concentrato sulla propria interiorità, è altresì vero che l'autore non perde occasione di affrontare tematiche anche di valenza sociale.

Ma iniziamo dall'inizio, dall'origine della vita, dall'essenza.

L'alba apre il sipario su un altro giorno dello spettacolo della vita.

(3221)

La vita ha il significato che le diamo, un significato che cambia man mano che si cambia.

(3452)

Questa poesia nasce, come è facile comprendere, dalla riflessione sul rapporto tra vita e scrittura.

Rapporto simbiotico e quasi necessario, esso viene utilizzato dall'autore anche per porre l'accento su un altro tema di grande importanza, quello tra materia e spirito.

E la fisicità è nutrimento per la carne, l'immateriale, e quindi in particolarità la scrittura, è substantia spiriti, *ciò che viene prima, la materia (ideale) che giace al di là e al di sotto della* res extensa.

Interessante è quindi notare che in questa poetica non vi è un movimento ascensionale, ma invece si invoca un progresso paritario, comune e duplice degli aspetti che costituiscono l'uomo.

Portato a un livello esterno all'uomo, nel senso di quelle società che all'uomo fa da eco, la voce dell'autore invoca un progresso sociale.

In una società, quando la mancanza di speranza cancella il futuro, il presente si ripiega sui piaceri fisici. Ma l'iniziale euforia si rivela ben presto deludente: i piaceri non sono un'alternativa al diritto e al dovere di volere un futuro.

(3557)

L'umanità procede per estremi: dalla caccia alle "streghe" all'abuso della libertà. In una certa epoca o in un certo ambiente, certe fasce della società cercano di imporre quello che è ottenibile, che sia giusto o meno. Se prevale il potere assoluto dei fanatici, l'oscurantismo cerca di approfittarne. Se prevale la permissività, la licenza fa altrettanto. In tutti e due i casi, si spingono le conseguenze agli estremi. Ne segue il tentativo di trasformare le preferenze (o prepotenze) personali in pubbliche leggi.

(3635)

Microcosmi e macrocosmo. Fortemente connessi, necessari e imprescindibili, l'uno eco dell'altro. Ecco quindi che le parole di Mario Vassalle si fanno specchio di una umanità in crisi, che ha perso i valori perché ciascuna singola esistenza sembra aver perso il proprio valore e quindi la propria dignità.

La penna di Vassalle sa essere lama tagliente verso una società falsamente perbenista anche se non nega l'estremo valore perfino dell'ipocrisia ("Una società senza ipocrisia sarebbe peggiore della peste. Se una società permettesse solo le virtù, gli ipocriti sarebbero ancora più numerosi", 3019)

Inoltre nelle sue riflessioni, cerca di restituire il vero valore alle cose, stimolando il lettore nella costruzione di un canone di un continuo imperativo morale.

Si è felici quando si ottiene quello che si desidera. Se lo si ottiene facilmente (come per i ricchi), la felicità è uccisa dall'abitudine. Una zuppa di verdure può bastare per fare felice un povero.

(3009)

La pietà e ancor più la carità possono variare in proporzione inversa sia alla grande ricchezza che all'estrema povertà.

(3460)

Il bisogno palingenetico espresso dall'autore in numerose istanze di questa poesia trova il suo elemento nella riflessione filosofica.

Il pensiero, la filosofia, espressione di un mondo logocentrico, torna spesso in questa silloge in maniera piuttosto trasversale. Ma in ogni caso il valore che viene dato alla parola è quello di restituire una primigenia purezza al pensiero, che diventa così strumento di indagine privilegiato.

Il senso comune va bene per le cose comuni. Per esempio, non serve molto nella filosofia. Non perché la filosofia sia insensata, ma perché penetra assai più in profondità.

(3098)

La ricerca della comprensione (per es., quella della filosofia) ci fa capire quanto ancora non si capisca.

(3131)

E tra tutte le parole che compongono in pensieri, posizione particolare è quella del pensiero dell'amore, che è pensiero di luce, desiderio di alba, di rinascita attraverso l'amore stesso.

Benché non siano moltissimi gli aforismi che narrano esplicitamente l'amore, esso è in realtà rintracciabile in tutte quelle circostanze in cui l'autore narra della dicotomia tra luce e tenebre, in quanto questo sentire riesce a ferire l'oscurità.

Che sia della solitudine, dell'anima, della materia questo poco conta, molto più importante è il concetto di necessità che accompagna l'amore, che si disvela principalmente come amore per la vita.

Un amore delicato e vissuto nel decoro e nella riservatezza perché

Un amore profondo non ha bisogno di esibirsi in pubblico. Anzi, lo evita. I baci in pubblico (a meno che non siano il risultato di un desiderio improvviso e irresistibile) sono solo per gli altri (o per illudere se stessi) e dicono che l'amore non durerà.

(3292)

Una vita senza amore è come una notte gelida, triste, nuvolosa e senza luna.

(3562)

E se d'amore si deve parlare, l'amore più grande è però quello legato al pensiero di Dio.

Il ringraziamento che chiude questa raccolta di aforismi è in qualche modo un ringraziamento per il miracolo della vita stessa, per la bellezza della natura, e soprattutto per la sensibilità che ha l'uomo di poter comprendere tale spettacolo.

L'ultimo di questi aforismi, che ci vengono offerti sia in italiano che in inglese, quasi a raccogliere la dualità dell'anima del suo autore, racchiude la summa dell'estetica di Conchiglie – Sea Shells*, come un dono, come una perla preziosa.*

Abbiamo bisogno di essere grati a Dio, nostro Padre, per aver dato a noi (e solo a noi esseri umani) la sensibilità che ci fa apprezzare la bellezza della natura, delle arti, dei sentimenti delicati, delle emozioni gentili, dei pensieri commoventi, dell'amore, dei sogni, delle speranze, dell'alternarsi delle stagioni, del miracolo della vita, ecc. Senza questo dono della sensibilità (anche senza contare tutti gli altri doni), la nostra vita perderebbe la finezza di emozioni squisitamente intime.

(3800)

Flavia Weisghizzi

Conchiglie
Sea Shells

AVVERTENZA

Il testo originale italiano degli aforismi fronteggia la versione inglese in modo da rendere più facile il confronto dei testi italiano e inglese per coloro che desiderassero farlo. Per un eventuale confronto, lo stesso numero identifica lo stesso aforisma in italiano e nella traduzione inglese. La numerazione degli aforismi comincia col numero 3001, dal momento che questi aforismi sono una continuazione di quei tremila già pubblicati nei libri intitolati L'Enigma della Mente: Aforismi, La Realtà dell'Io: Aforismi *e* Foglie d'Autunno.

NOTICE

The original Italian text of the aphorisms faces the English version as to make the comparison of the Italian and English texts easier for those who wish to do so. For a possible comparison, the same number identifies the same aphorism in Italian and in the English translation. The numeration of the aphorisms begins with the number 3001, since these aphorisms are a continuation of the three thousand ones already published in the books entitled: The Riddle of the Mind: Aphorisms, The Reality of the Self: Aphorisms *and* Foglie d'Autunno.

Ringraziamento
Ringrazio mia moglie Anna Maria e mio figlio Roberto per avermi pazientemente aiutato a correggere il manoscritto.

Acknowledgments
I thank my wife Anna Maria and my son Roberto for their patient help in correcting the manuscript.

3001. La sincerità verso se stessi dovrebbe sapere quando è necessario essere discreta. Altrimenti rende più difficile il lavoro della vanità.

3002. Per proteggere i nostri interessi, si è pronti a rinunciare (per l'occasione) persino ai nostri pregiudizi.

3003. Di un bicchiere di vino, un ottimista vede solo la metà piena e un pessimista solo la metà vuota. Una persona normale beve il vino e lo gusta.

3004. I ribelli vogliono conservare la propria rivoluzione con lo stesso accanimento con cui i conservatori vi si ribellano.

3005. Senza stimoli freschi (esterni ed interni), la mente tende ad appassire lentamente, vittima della monotonia. Di qui l'attrazione (per esempio) delle notizie, del leggere o del viaggiare.

3006. Per mancanza di fantasia, talvolta la mediocrità viene confusa con la "normalità".

3007. Si può essere furbi anche in quello che non si capisce, qualche volta proprio perché non lo si capisce.

3008. Per non apprezzare una bella poesia non occorre essere prosaici, basta già essere pratici. `

3009. Si è felici quando si ottiene quello che si desidera. Se lo si ottiene facilmente (come per i ricchi), la felicità è uccisa dall'abitudine. Una zuppa di verdure può bastare per fare felice un povero.

3001. Sincerity toward ourselves should know when it is necessary to be discreet. Otherwise it makes more difficult the job of vanity.

3302. To protect our interests, we are ready to renounce (for the occasion) even to our prejudice.

3003. Of a glass of wine, an optimist sees only the half full and a pessimist only the half empty. A normal person drinks the wine and enjoys it.

3004. Rebels want to conserve their revolution with the same determination with which conservatives rebel to it.

3005. Without fresh stimuli (external and internal), the mind tends to slowly wilt, victim of monotony. Hence, the attraction (for example) of the news, of reading or of traveling.

3006. For lack of imagination, sometimes mediocrity is confused with "normality".

3007. One can be shrewd also in what one does not understand, sometimes exactly because one does not understand it.

3008. Not to appreciate a beautiful poem one does not need to be prosaic, it is already enough to be practical.

3009. One is happy when one obtains what one desires. If it is obtained easily (as for the wealthy), happiness is killed by habit. A vegetable soup may suffice to make a poor person happy.

3010. È "ragionevole" quello che è incluso in una deviazione standard in più o meno rispetto alla "normalità".

3011. Se il riso vuol essere sottile, deve sapersi fermare al sorriso, anche se qualcuno crede che (per essere sottile) un sorriso debba essere ironico.

3012. Si vive tranquillamente immersi in quello che s'ignora. Sembrerebbe a nostro inconsapevole vantaggio.

3013. L'Io cosciente è una versione incompleta dell'Io reale.

3014. La forza del caso: non è facile essere imbecilli coerentemente.

3015. Una società di filosofi sarebbe una società fallita. Come del resto sarebbe una società senza filosofi. Il che dimostra semplicemente che ciascuno ha la sua funzione.

3016. Spesso ci si risente se ci impediscono di fare qualcosa di sbagliato. Specialmente, se dentro di noi riconosciamo che hanno ragione.

3017. Se l'Ordine dell'universo fosse dovuto al caso, il caso sarebbe incompetente, dal momento che nell'universo non vi è nulla a caso.

3018. Se le nostre virtù avessero la tenacia dei nostri molti difetti... Ma qualche volta ce l'hanno.

3010.   It is "reasonable" what is included in a plus or a minus standard deviation with respect to "normality".

3011.   If laugher wants to be subtle, it should stop at the smile, even if some people believe that (to be subtle) the smile should be ironic.

3012.   We live tranquilly immersed in what we ignore. It would seem to our unconscious advantage.

3013.   The conscious Self is an incomplete version of the real Self.

3014.   The force of chance: it is not easy to be consistently imbeciles.

3015.   A society of philosophers would be a failed society. Just as it would be a society without philosophers. This simply demonstrates that everyone has his or her function.

3016.   Often we resent being prevented from doing something wrong. Especially if, within ourselves, we recognize that they are right.

3017.   If the Order of the universe were due to chance, chance would be incompetent, since in the universe there is nothing at random.

3018.   If our virtues had the tenacity of our many faults... But sometimes they do have it.

3019. Una società senza ipocrisia sarebbe peggiore della peste. Se una società permettesse solo le virtù, gli ipocriti sarebbero ancora più numerosi (per quanto assai più cauti).

3020. Siamo determinati da emozioni, passioni, percezioni, sensazioni e riflessi più spesso che da pensieri. Semplicemente, si vive, ma necessariamente una vita di qualità variabile.

3021. L'Ordine necessariamente include gli opposti. Inevitabilmente, le diverse componenti dell'Ordine prevalgono in epoche diverse. Per esempio, le persecuzioni religiose o i vizi sfrenati della decadenza. Si apprezza allora la necessità dell'Ordine, dal momento che gli squilibri causati "dall'ordine" umano (o piuttosto dal disordine umano) provocano danni considerevoli. Ma qui entra in campo il fatto essenziale che l'Ordine esige la Varietà per non diventare una forma distruttiva di schiavitù e per permettere l'espressione di differenti componenti (positive e negative) della realtà umana. Pertanto, i turbamenti degli equilibri in una direzione e nella direzione opposta sono previsti dall'Ordine. Quali turbamenti specifici si verificheranno è il risultato delle condizioni del momento, dell'influenza del caso e delle azioni umane. Dal che si vede che l'Ordine divino contiene l'ordine ed il disordine umani, e tutti e due non come fini, ma come mezzi di espressione attraverso il loro scontro obbligatorio. Gli scontri degli opposti sono la base della lotta e la lotta è il presupposto obbligatorio per lo sviluppo umano.

3019.   A society without hypocrisy would be worse than the plague. And if a society were to permit only virtues, hypocrites would be even more numerous (although much more cautious).

3020.   We are determined by emotions, passions, perceptions, sensations and reflexes more often than by thoughts. Simply, we live, but necessarily a life of variable quality.

3021.   Order necessarily includes the opposites. Inevitably, the different components of Order prevail in different eras. For example, religious persecutions or the unchecked vices of decadence. One appreciates then the necessity of the Order, since the unbalance caused by human "order" (or rather by human disorder) provokes considerable damage. But here arises the essential fact that Order demands Variety not to become a destructive form of slavery and to allow the expression of different components (positive and negative) of the human reality. Therefore, the disturbance of the balance in one direction and in the opposite direction is foreseen in the Order. Which specific disturbances will occur is the result of the conditions of the moment, of the influence of chance and of human actions. From this it can be seen that divine Order includes the human order and disorder and both not as ends but as means of expression through their obligatory clash. The clashes of the opposites are the basis for struggle and the struggle is the obligatory premise for human development.

3022. Le cose non apprezzate da nessuno sarebbero inutili, ma non se apprezzate anche da pochi. Per esempio, sarebbe ridicolo che tutti dovessero amare la filosofia. Ma se la filosofia non fosse amata da nessuno, sarebbe una gran perdita per le realizzazioni umane.

3023. Col passare del tempo, si diventa estranei a molti aspetti del nostro passato, cioè del nostro Io.

3024. I desideri più intensi sono quelli che non si possono o non si vogliono soddisfare.

3025. Il caso viene usato dall'Ordine per creare la Varietà, come, per esempio, il mescolarsi di patrimoni genetici dei genitori per creare l'individualità unica di ciascuna nuova creatura.

3026. Le sottigliezze intellettuali stancano senza commuovere.

3027. L'originalità può essere incompresa sia dalle persone convenzionali sia dalle non-convenzionali. Da vivo, Van Gogh vendette un quadro.

3028. Le cose più umili non sono per questo meno necessarie.

3029. Se la convenienza umana ridimensiona la religione, la religione non può non perdere il suo afflato divino.

3022.   Things not appreciated by anybody would be useless, but not if they are appreciated even by a few. For example, it would be ridiculous if everyone had to love philosophy. But if philosophy were not loved by anyone, it would be a great loss for human accomplishments.

3023.   With the passing of time, we become strangers to many aspects of our past, that is, of our Self.

3024.   The most intense desires are those which we can not or we do not want to satisfy.

3025.   Chance is used by Order to create Variety, as, for example, the mixing of genetic patrimonies of the parents to create the unique individuality of each new creature.

3026.   Intellectual subtleties tire without moving.

3027.   Originality may not be understood by both conventional or non-conventional people. While alive, Van Gogh sold one painting.

2028.   The most humble things are for that reason not less necessary.

3029.   If human convenience rescales religion, religion can not but lose its divine afflatus.

3030. È meglio essere un peccatore che negare il peccato. I peccati non spariscono negandoli, ma solo se si fa sparire la nostra responsabilità morale. Ma questo è già un peccato per chi non è amorale.

3031. La base dell'arroganza spesso è non l'esagerazione dei propri meriti, ma la percezione sbagliata dei nostri demeriti.

3032. La mancanza di aspirazioni è sempre triste, e il non essere rattristati di non averne è più triste ancora.

3033. Gli affetti personali di cui qualche scrittore scrive sono affetti ragionati intellettualmente e quindi non veri affetti. Si vuol scrivere bene, più che voler bene. Sono un esercizio letterario ad uso e consumo dei lettori, non un'effusione dei propri sentimenti intimi.

3034. Gli affetti si provano anche quando si disapprovano.

3035. Gli interessi intellettuali stancano molti e gli interessi spiccioli stancano il resto.

3036. Competere con i mediocri è già un segno di mediocrità.

3037. Quando si legge un aforisma, viene spontaneo dire: "È vero!" (se è vero). Questo non vuol dire che lo si sapeva già, dal momento che lo si dice con la sorpresa di chi, dopo un attimo di riflessione, riconosce una verità che non conosceva coscientemente. L'aforisma ci fa vedere quello su cui non avevamo riflettuto, gettandovi un fugace lampo di luce.

3030. It is better to be a sinner than to deny sin. Sins do not disappear by being denied, but only if we make our moral responsibility disappear. But that is already a sin for those who are not amoral.

3031. The basis of arrogance often is not the exaggeration of one's merits, but the wrong perception of one's demerits.

3032. The lack of aspirations is always sad, and not to be saddened by not having aspirations is even more sad.

3033. Personal affections of which some writers write are intellectually reasoned and therefore not really affections. One wants to write well rather than feel affection. It is a literary endeavor for the readers' use and benefit, not an outpouring of one's intimate feelings.

3034. Affections are felt even when we disapprove of them.

3035. Intellectual interests tire many and common interests tire the remainder.

3036. Competing with the mediocre is already a sign of mediocrity.

3037. When we read an aphorism, it comes spontaneous to say: "It is true!" (if it is true). This does not mean that we knew it already, since we say it with the surprise of one who, after a moment of reflection, recognizes a truth that one did not know consciously. An aphorism makes us see that on which we had not reflected by throwing a fleeting flash of light on it.

3038. È quando si crede di sapere tutto che veramente non si sa nulla.

3039. La santità è come una gran montagna che si erge sulla pianura della nostra "normalità". Nessuno è così mediocre da non riconoscerlo.

3040. Evita di mostrare le tue virtù, se vuoi evitare le calunnie. E nascondi le tue colpe, se vuoi che non se ne avvantaggino.

3041. Senza i loro vizi e difetti, probabilmente gli altri diventerebbero odiosi a molti. Sono le limitazioni altrui che ci aumentano (per lo meno nella nostra mente).

3042. Spesso, ci si lamenta degli stress della vita. Cosa dovrebbe dire il sole, condannato ad un eterno tumulto di continue violente esplosioni di luce e calore di un'intensità intollerabile e a cui, per di più, non è concesso neanche il beneficio della pausa della notte?

3043. Agli amici si perdona tutto, eccetto i loro successi.

3044. Quanto determiniamo noi stessi e quanto siamo determinati (per es., dal caso, impulsi, riflessi, credenze, convinzioni, combinazioni genetiche, ecc.)? La risposta è apparentemente impossibile perché anche quando determiniamo noi stessi potremmo farlo perché siamo così determinati.

3045. Nella semplicità, la felicità non è mai troppo complicata. Non è turbata dall'ansia di sottigliezze inutili che finiscono con l'usurarla.

3038.   It is when we believe to know it all that we truly know nothing.

3039.   Sanctity is like a great mountain that stands out the plain of our "normality". Nobody is so mediocre as not to recognize it.

3040.   Avoid showing your virtues if you want to avoid calumnies. And hide your faults if you do not want that they should take advantage of them.

3041.   Without their vices and faults, probably others would be hateful to many. It is the limitations of others that augment us (at least in our own mind).

3042.   Often, we complain of the stress in life. What should the sun say, condemned to an eternal turmoil of continuous violent explosions of light and heat of an intolerable intensity and to which, on top of that, not even the benefit of the pause of the night is given?

3043.   To our friends we pardon everything, except their successes.

3044.   How much do we determine ourselves and how much are we determined (e.g., by chance, drives, reflexes, beliefs, convictions, genetic set up, etc.)? The answer is apparently impossible because even when we determine ourselves we could do so only because we are so determined.

3045.   In simplicity, happiness is never too complicated. It is not troubled by the anxiety of useless subtleties, which end up in wearing it out.

3046.   Se vuoi sapere quello che realmente pensano di te, falli arrabbiare al punto che perdano il controllo di sé.

3047.   Gli ostacoli vanno affrontati nel punto dove sono più deboli. Le virtù invece vanno affrontate dove sono più forti.

3048.   La felicità è raramente dissociata dal piacere, perché (essendo felici) si trova piacere in tante cose che normalmente potrebbero passare anche inosservate. Al contrario, i troppi piaceri non portano alla felicità, ma piuttosto al cinismo. Ma forse si cercano i troppi piaceri perché siamo incapaci di essere felici per incominciare.

3049.   La superstizione è basata sul fatto che il caso è imprevedibile. Ci si sente più a nostro agio non sfidarlo facendo gli scongiuri.

3050.   Per sentire il dovere di non essere un imbecille, uno bisogna che prima rinunci al diritto di esserlo.

3051.   A seconda del nostro modo mutevole di sentire, si esprimono aspetti diversi di noi stessi che qualche volta non sapevamo esistere. Se il modo di sentire è nuovo, anche quello che lo causa può essere nuovo (per esempio, i sentimenti dell'adolescenza).

3052.   Si accusa l'abitudine d'essere prosaica, ma bisognerebbe considerare che è proprio l'abitudine che attenua progressivamente le nostre più intense pene.

3046.   If you want to know what others really think of you, enrage them to the point that they lose their self control.

3047.   Obstacles should be tackled where they are weakest. Instead, virtues must be tackled where they are strongest.

3048.   Happiness is rarely dissociated from pleasure, because (being happy) we find pleasure in many things that normally could even remain unnoticed. In contrast, too many pleasures do no lead to happiness, but rather to cynicism. But perhaps we seek too many pleasures because we are unable to be happy to start with.

3049.   Superstition is based on the fact that chance is unpredictable. We feel more at ease in not defying it by touching wood.

3050.   To feel the duty not to be an imbecile, one has first to renounce the right to be so.

3051.   Depending on our changing moods, we express different aspects of ourselves that sometimes we did not know that existed. And if our mood is new, also what causes it may be new (for example, the feelings of adolescence).

3052.   We accuse habit of being uninspiring, but we should consider that actually it is habit that progressively attenuates our most intense sorrows.

3053. Non c'è pranzo che non sia considerevolmente migliorato da un ottimo vino. Similmente, un pensiero è migliorato dallo spirito delle parole che lo esprimono.

3054. Si fallisce non quando non si realizzano le nostre aspirazioni, ma quando non ne abbiamo nessuna.

3055. Si raggiungono facilmente i nostri limiti quando i confini della mente non sono molto più grandi di quelli del cranio.

3056. La più grande libertà la si trova nei voli della fantasia e dell'immaginazione: uno crea la realtà che più gli piace, e, se è bravo, la sua espressione dà piacere anche ad altri.

3057. Quello che manifestiamo a tutti è deciso da quello che non manifestiamo a nessuno.

3058. Se la storia non è epica, è solo cronaca.

3059. Per dire la verità sull'onestà, prima di tutto bisogna essere onesti. Il problema è esserlo senza eccezioni.

3060. Per essere un ipocrita rifinito, bisogna saper recitare bene e non essere imbarazzati dai rimproveri della decenza. O esserne completamente indifferenti. O, meglio ancora, trovar piacere nella propria duplicità.

3061. I pregiudizi sono quelle delle nostre convinzioni che non si vogliono domandare se sono valide.

3053. There is no dinner that it is not vastly improved by an excellent wine. Likewise, a thought is improved by the spirit of the words that express it.

3054. We fail not when we do not fulfill our aspirations, but when we have none.

3055. We easily reach our limits when the boundaries of the mind are not much greater than those of the skull.

3056. The greatest freedom is found in the flights of fancy and of imagination: one creates the reality that one likes most, and, if one is good, its expression gives pleasure to others too.

3057. What we show to everyone is decided by what we do not show to anyone.

3058. If history is not epic, it is only chronicle.

3059. To say the truth about honesty, first of all one must be honest. The problem is to be so without exceptions.

3060. To be an accomplished hypocrite, one must be able to act well and not to be embarrassed by the reproaches of decency. Or to be completely indifferent to them. Or, better yet, to find pleasure in one's own duplicity.

3061. Prejudice is made up of those of our convictions that refuse to ask themselves if they are valid.

3062. Nulla è semplice per chi non è semplice, e tutto è semplice per chi è troppo semplice.

3063. I baci sono in genere una manifestazione d'affetto, ma ci sono anche i baci di Giuda: un segno d'amore usato e abusato dalla malevolenza e persino dall'odio.

3064. Certe malattie distruggono il passato (per es., l'Alzheimer) e altre il futuro (per es., la depressione).

3065. Talvolta i nostri errori sono corretti non dalla nostra saggezza, ma dalla nostra irrequietezza. Quest'ultima ci spinge a fare qualcosa di diverso, che qualche volta è corretto e altre volte è sbagliato a seconda dei capricci del caso. In ogni modo, gli errori sono differenti.

3066. La scienza deve perseguire la verità perché studia quello che è stato creato da Dio. Sulla base di quello che impara, l'ingegnosità della scienza poi crea le opere umane nei differenti campi.

3067. Per avere un minimo di stile, l'ipocrisia dovrebbe rispettare per lo meno i limiti del buon gusto. Dopo tutto, anche l'ipocrisia ha i suoi obblighi che includono anche quelli dell'eleganza formale e di una accorta discrezione. Tanto più che un'ipocrisia rozza è facilmente discernibile e quindi controproducente.

3062.   Nothing is simple for those who are not simple, and everything is simple for those who are too simple.

3063.   Kisses are generally a manifestation of affection, but there are also the kisses of Judas: a sign of love used and abused by malevolence and even by hatred.

3064.   Some diseases destroy the past (e.g., Alzheimer's) and others the future (e.g., depression).

3065.   Sometimes our mistakes are corrected not by our wisdom, but by our restlessness. The latter pushes us to do something different, that sometimes is right and at other times is wrong depending on the whims of chance. In any case, the mistakes are different.

3066.   Science must pursue the truth because it investigates what has been created by God. On the basis of what it learns, the ingenuity of science then creates the human works in the various fields.

3067.   To have a minimum of style, hypocrisy should respect at least the limits of good taste. After all, also hypocrisy has its obligations that include also those of formal elegance and of a discerning discretion. All the more so since a coarse hypocrisy is easily discernible and therefore counterproductive.

3068.   La raffinatezza eccessiva crea una realtà di eccezioni (per es., in certi film). Rifugge da quello che crede emotivamente ovvio, anche se è bello. Vuol creare una bellezza sottile che vuole impressionare, ma che non commuove. Perché nell'eccessiva raffinatezza si sente che le scelte sono quelle di una sensibilità "intellettuale", non emotiva (e pertanto non creativa). Di fatto, stimolano la mente con dettagli che possono anche essere sottilmente belli, ma lasciano delusi i sentimenti circa lo svolgersi del dramma.

3069.   La raffinatezza comincia ad essere eccessiva quando, isolata, non è capace di comprendere la complessità della realtà e ne vede solo gli aspetti "estetizzanti". Allora rivela l'esteta, ma non l'artista.

3070.   Una mente interessata è per ciò stesso interessante.

3071.   Non è l'aridità che rinuncia ai sogni: è l'appassirsi dei sogni che conduce uno all'aridità.

3072.   La tenacia non è una scelta personale, ma un impulso istintivo di cui non abbiamo scelta. Per questo, la tenacia può essere un segno di forza o un segno di cocciutaggine. La differenza è solo nella qualità di quello che si persegue. Per esempio, perseverare negli sbagli è solo un segno di cocciutaggine.

3068. Excessive refinement creates a reality of exceptions (e.g., in certain films). It avoids what it believes to be emotionally obvious, even if it is beautiful. It wants to create a subtle beauty that is meant to impress, but that does not move. Because in excessive refinement, one senses that the choices are those of an "intellectual" sensitivity, not of an emotive (and therefore creative) one. In fact, they stimulate the mind with details that may even be subtly beautiful, but disappoint the feelings about the unfolding of the drama.

3069. Refinement becomes excessive when, isolated, it is not able to understand the complexity of reality and it sees of it only the "aesthetizing" effects. It reveals the aesthete, but not the artist.

3070. An interested mind is for that very reason interesting.

3071. It is not aridity that gives up dreams: it is the drying up of the dreams that leads one to aridity.

3072. Tenacity is not a personal choice, but an instinctive drive of which one has no choice. For this reason, tenacity can be either a sign of strength or a sign of stubbornness. The difference is only in the quality of what we pursue. For example, to persevere in our mistakes is only a sign of stubbornness.

3073. Ciascuno trova piacere in quello che la sua natura gli fa desiderare. Ad altri non piacerebbe quello che la nostra natura suggerisse loro. E il contrario. Il che dimostra che le cose piacevoli non esistono oggettivamente fuori della mente se la stessa cosa può simultaneamente piacere ad alcuni e dispiacere ad altri. Questo naturalmente non vuol dire che tutte le cose piacevoli siano legittime (per es., mangiare o bere troppo). Ma la loro illegittimità può essere convenientemente ignorata da alcuni.

3074. Prima o poi, tutto diventa di moda.

3075. La tenacia ignora soprattutto la stanchezza. Il più delle volte, se si cede, si cede alla stanchezza di una lunga lotta. Per questa ragione, la tenacia è spesso un segno di forza.

3076. I quadri dei grandi maestri sono l'espressione perfetta della creazione della perfezione.

3077. Naturalmente, le relazioni umane richiedono discrezione e civiltà, ma lo studio della realtà non può (e non deve) essere fatto con verità "diplomatiche", dal momento che sono dirette a tutti in generale e nessuno in particolare.

3078. Di persone ovvie ce ne sono due specie: quelle convenzionali e quelle non convenzionali.

3079. Si cerca di essere originali quando si dice qualcosa di paradossale e si è originali quando si dice qualcosa di nuovo.

3073.   Each one of us finds pleasure in what one's nature makes one desire. Others would find displeasing what our nature might suggest them. And the converse. This demonstrates that pleasurable things do not exist objectively outside the mind, if the same thing can simultaneously please some and displease others. Naturally, this does not mean that all pleasurable things are legitimate (for example, eating or drinking too much). But their illegitimacy may be conveniently ignored by some.

3074.   Sooner or later, everything becomes fashionable.

3075.   Tenacity ignores most of all tiredness. Most of the time, if we give up, we do so because of the weariness of a long struggle. For this reason, tenacity is often a sign of strength.

3076.   The paintings of the great master are the perfect expression of the creation of perfection.

3077.   Naturally, human relationships demand discretion and civility, but the study of reality can not (and must not) be carried out with "diplomatic" truths, since they are directed to everybody in general and nobody in particular.

3078.   There are two species of obvious persons: those who are conventional and those who are non-conventional.

3079.   One tries to be original when one says something paradoxical and one is original when one says something new.

3080. Certe credenze possono non dirci la verità. Ma se sono belle e ci piacciono, per noi non sono né sbagliate né pericolose.

3081. Non è facile selezionare i dettagli se non si capisce l'insieme. La necessità di avere un sistema prima delle sue applicazioni.

3082. Nel tradurre in bellezza quello che la sensibilità percepisce come bello, la poesia crea una bellezza personale che tutti possono apprezzare. E se non fa quello, non è poesia.

3083. Le poesie non hanno bisogno di dimostrazioni, giustificazioni o prove: vivono della realtà che hanno creato.

3084. La forza del fanatismo si concentra su una sola cosa, e non vede nient'altro, comprese le obiezioni. La sua forza consiste nel rifiutarsi di essere indebolito dal ragionare, anzi addirittura dalla ragionevolezza.

3085. In certe intuizioni, s'intravedono aspetti della trama della creazione. Una scintilla che illumina per un attimo un aspetto particolare di un paesaggio quanto mai misterioso.

3086. Il problema non è di essere rudi. Il problema è di non essere rudi senza necessità, cioè rozzi.

3080.   Certain beliefs may not tell us the truth. But if they are beautiful and we like them, for us they are neither erroneous nor dangerous.

3081.   It is not easy to select the details if one does not understand the whole. The necessity to have a system before its applications.

3082.   In translating into beauty that which sensibility perceives as beautiful, poetry creates a personal beauty that everyone can appreciate. And if it fails to do so, it is not poetry.

3083.   Poems do not need demonstrations, justifications or proofs: they live of the reality that they have created.

3084.   The force of fanaticism concentrates on one thing only, and it does not see anything else, including objections. Its strength consists in refusing to be weakened by reasoning, nay even by reasonableness.

3085.   In some intuitions, one catches a glimpse of the aspects of the weft of creation. A spark that illuminates for a moment a particular aspect of a rather mysterious landscape.

3086.   The problem is not to be rude. The problem is not to be unnecessarily rude, that is, coarse.

3087. Qualche volta, dà più piacere perseguire la felicità (idealmente) che ottenerla (specificamente). La felicità che si persegue contiene anche il piacere dei sogni e delle anticipazioni. La felicità che si ottiene riflette una realtà che talvolta è ben differente da quella sognata.

3088. Ci sono dei lati positivi in ogni cosa, compresa la sofferenza. Non si può perseguire la sofferenza di per sé, perché diventerebbe una tortura causata da noi stessi. Ma ci si abitua anche ad una continua felicità al punto di trovarla noiosa.

3089. La varietà aumenta la completezza con un'esperienza più varia.

3090. I nostri fallimenti sono una parte integrante della nostra umanità.

3091. Per credersi importanti, le persone altezzose affettano l'indifferenza di non essere stupite da nulla, per quanto tendano ad alzare le sopracciglia.

3092. La maggior parte della gente è attratta dai vizi e dalle virtù, i degenerati sono attratti solo dai vizi e i santi solo dalle virtù.

3093. Naturalmente, bisogna essere sensati. Ma bisogna diffidare del senso comune proprio perché è comune.

3094. Ci sono tante forme d'intrattenimento e ciascuno si cerca quella adatta per lui, che sia divertente o meno per gli altri.

3087.   Sometimes, it gives more pleasure to pursue happiness (ideally) than to attain it (specifically). The happiness that we pursue includes also the pleasure of dreams and of anticipations. The happiness that we obtain reflects a reality that sometimes is rather different from that which we had imagined.

3088.   There are positive aspects in everything, including suffering. One can not pursue suffering in itself, because it would become a self-inflicted torture. But one gets used to a continuous happiness to the point that one may find it boring.

3089.   Variety increases completeness with a more varied experience.

3090.   Our failures are an integral part of our humanity.

3091.   To feel important, naughty people feign the indifference of not being amazed by anything, although they tend to raise the eyebrows.

3092.   Most people are attracted by vices and virtues, degenerates are attracted only by vices and saints only by virtues.

3093.   Naturally, one must be reasonable. But one must mistrust common sense exactly because is common.

3094.   There are many kinds of entertainment and everyone seeks that which is suited for him, whether it is entertaining or not for others.

3095.   La necessità di comprendere non è facoltativa.

3096.   Si parla ad una folla piuttosto che agli individui che la compongono. La psicologia è differente: per convincere, si urla ad una folla e si bisbiglia ad un individuo. Nel primo caso, ci si rivolge alle emozioni, nel secondo alla ragionevolezza. In una folla, gli individui condividono le emozioni, ma non la ragione. Aiuta molto il fatto che in una folla si è anonimi e pertanto protetti dalle responsabilità personali.

3097.   Nelle parole di certe persone c'è poco sentimento anche quando parlano di sentimenti. Talvolta, non c'è sentimento soprattutto quando parlano di sentimenti.

3098.   Il senso comune va bene per le cose comuni. Per esempio, non serve molto nella filosofia. Non perché la filosofia sia insensata, ma perché penetra assai più in profondità.

3099.   Soltanto l'equità degli altri promuove la nostra fiducia.

3100.   Gli istinti sono i custodi di molte leggi naturali.

3101.   A qualcuno bisognerebbe spiegare che per essere onesti, non è necessario essere rudi. Ad altri che per essere disonesti, non è necessario sembrare gentili (per quanto potrebbero rispondere: "Essere gentili, può rendere più facile l'essere disonesti....").

3102.   Esaminando quello che viene fatto, a volte si può risalire dalle azioni agli impulsi nascosti che le hanno determinate.

3095.　The necessity of understanding is not optional.

3096.　One speaks to a crowd rather than to the individuals that make the crowd up. The psychology is different: to convince, one screams to a crowd and whispers to an individual. In the former case, one addresses emotions, in the latter case reasonableness. In a crowd, individuals share emotions, but not reason. It helps a lot the fact that in a crowd one is anonymous and therefore protected from personal responsibilities.

3097.　In the words of some there is little feeling even when they talk about feelings. Sometimes, there is no feeling especially when they talk about feelings.

3098.　Common sense is good for common things. For example, it is not of much use for philosophy. Not because philosophy is senseless, but because it penetrates much deeper.

3099.　Only the fairness of others fosters our trust.

3100.　Instincts are the custodians of many natural laws.

3101.　To some it should be explained that to be honest, one does not need to be rude. And to others that to be dishonest, it is not necessary to seem kind (although they could answer: "Being kind may make it easier to be dishonest....").

3102.　By examining what it is done, sometimes we can trace back the actions to the hidden drives that determined them.

3103. Si vedono gli altri attraverso il filtro dei difetti e dei pregi che prevalgono in noi. Per es., se si è soprattutto volgari, si vede negli altri soprattutto quello che è o potrebbe essere volgare. Similmente se si è disonesti o ipocriti o meschini o buoni od onesti, ecc. Per questo, dalla maniera con cui li vediamo, gli altri giudicano la mente li giudica.

3104. Essere vanitosi equivale ad adulare noi stessi.

3105. La variabilità dei nostri sentimenti è come quella delle note della musica. Si va dalla piacevolezza di una canzone all'intensità drammatica di una sinfonia.

3106. È poco saggio farsi dominare dalle proprie inclinazioni, ma è assai più pericoloso farsi dominare dagli altri dando loro la chiave delle nostre emozioni.

3107. Si cerca soprattutto di capire se stessi, anche se gli sbagli sono inevitabili.

3108. Ci si preoccupa di certe (irrilevanti) cose, perché non sappiamo che invece bisognerebbe preoccuparci di altre, ben più serie.

3109. Si esplorano i significati delle cose senza rendersi conto che ci sono anche i significati dei significati. Cioè, una gerarchia di significati più profondi e generali.

3110. Non dovremmo rifiutarci alle nostre emozioni, ma dovremmo resistere il perderne il controllo. Forse, non tutte le volte...?

3103.   We see others through the filter of the faults and virtues which prevail in us. E.g., if one is above all vulgar, one sees in others above all what is or could be vulgar. Similarly if one is dishonest or hypocritical or mean or good-hearted or honest, etc. For this reason, from the way with which we see them, others can judge the mind that judges them.

3104.   Being vain is the equivalent of flattering ourselves.

3105.   The variability of our feelings is like the notes of the music. One goes from the pleasantness of a song to the dramatic intensity of a symphony.

3106.   It is not very wise to let oneself be dominated by one's inclinations, but it is far more dangerous to let oneself be dominated by others by giving them the key of our emotions.

3107.   We seek most of all to understand ourselves, even if the mistakes are unavoidable.

3108.   We worry about certain (irrelevant) matters, because we do not know that instead we should worry about other, more serious, matters.

3109.   We explore the meanings of things without realizing that there are also the meanings of the meanings. That is, there is a hierarchy of deeper and more general meanings.

3110.   We should not refuse ourselves to our emotions, but we should resist losing their control. Perhaps, not all the times...?

3111.   Le radici della noia affondano nelle paludi dell'ignavia.

3112.   È possibile che se si capisse tutto non si farebbe più nulla. Il che assegna un compito considerevole al non capire.

3113.   Le tradizioni sono necessarie per mantenere l'identità di una stirpe. Provvedono la storia del suo sviluppo, mai non debbono essere imitate ciecamente. Sono un obbligo a svilupparsi creando qualcosa di nuovo.

3114.   A tutti è data la possibilità di vivere, e a ben pochi di sopravvivere.

3115.   Se si confonde un fenomeno con la sua percezione, naturalmente lo stesso fenomeno diventa relativo alla maniera in cui è percepito.

3116.   Si partecipa alle emozioni altrui quando ci fanno provare emozioni. Succede specialmente quando sono espresse in una maniera bella.

3117.   In senso religioso, la nostra anima è l'equivalente del nostro numero fiscale: ci identifica senza possibilità d'errore nel sistema "fiscale" divino. Le entrate delle virtù e le uscite delle nostre colpe.

3118.   C'è chi nega Dio e (forse per quello) si ritiene divino.

3111.   The roots of boredom sink in the swamps of indolence.

3112.   Possibly, if we understood everything, we would not do anything any longer. This assigns a considerable task to not understanding.

3113.   Traditions are necessary to maintain the identity of a race. They provide the history of its development, but are not to be blindly imitated. They are an obligation to develop by creating something new.

3114.   To all is given the possibility of living, and to very few of surviving.

3115.   If one confuses a phenomenon with its perception, naturally the same phenomenon becomes relative to the way it is perceived.

3116.   We participate in the emotions of others when they move us. It happens especially when they are expressed in a beautiful way.

3117.   In a religious sense, our soul is the equivalent of the social security number: it unmistakably identifies us in the divine "fiscal" system. The credit of virtues and the debit of our faults.

3118.   Some deny God and (perhaps because of that) believe to be divine.

3119. Spesso non si fa quello che ci si ordina e si fa quello che ci si proibisce. È il prezzo da pagare per non essere delle macchine.

3120. La stranezza può essere attraente per la sua novità, anche se non si sa bene che cosa voglia dire.

3121. Si apprezza la gioventù degli altri perché si rimpiange la nostra.

3122. La fantasia è lo strumento con cui creiamo la nostra realtà personale. Se è bella, diventa parte anche della realtà degli altri.

3123. Raramente, la logica si può permettere di ignorare le vedute delle intuizioni, dal momento che si deduce anche dalle intuizioni.

3124. La riflessione analizza e organizza quello che è già presente nella mente e gli dà nuovi significati. Stesse cose, ma si vede molto di più e più in profondità.

3125. Tutti si offendono per le offese ricevute (meritate o no). Se una persona non si mostra offesa vuol dire che non si può permettere di mostrarsi offesa o che il mostrarsi offesa sciuperebbe i suoi piani nascosti. Pertanto, le ragioni per cui un'offesa è apparentemente ignorata dovrebbero essere accuratamente analizzate (specialmente se quella persona è ostinatamente "amichevole"). L'unica eccezione a questa regola è quando si offende chi ci ama. Allora l'offesa potrebbe essere veramente e sinceramente ignorata. Anzi, persino compatita.

3119.   Often we do not do what we order ourselves and we do what we forbid ourselves. It is the price to pay for not to being machines.

3120.   Strangeness may be attractive for its novelty, even when we do not know very well what is it supposed to mean.

3121.   We appreciate the youth of others because we miss our own.

3122.   Imagination is the means by which we create our own personal reality. If beautiful, it becomes also part of the reality of others.

3123.   Rarely, logic can afford to ignore the insights of the intuitions, since we deduce also from intuitions.

3124.   Reflection analyzes and organizes what is already present in the mind and gives it new meanings. Same things, but we see much more and more in depth.

3125.   Everyone is offended by the offenses received (whether deserved or not). If a person does not appear offended, it means that it can not afford to appear offended or that to appear offended would spoil its hidden plans. Therefore, the reasons for which an offense is apparently ignored should be accurately analyzed (especially if that person is stubbornly "friendly"). The only exception to this rule is when we offend one who loves us. Then the offense could be truly and sincerely ignored. Nay, even pitied.

3126. Come un pezzo di plastica galleggia sull'acqua non assorbendola, così l'indifferenza galleggia sul dolore degli altri per la stessa ragione.

3127. Si vuole essere amati dagli altri perché lo esige o il nostro amore per loro o la nostra vanità.

3128. Non è molto difficile all'indifferenza dell'egoismo di sembrare forte nel dolore della sventura di chi dovrebbe esserci affettivamente vicino.

3129. Taluni sono ossessionati dall'ovvio. Forse per mancanza d'originalità.

3130. Nessuna cosa è inutile dal momento che vi sarà sempre qualcuno che vi è interessato. Questi diversi interessi sono necessari per la varietà della società.

3131. La ricerca della comprensione (per es., quella della filosofia) ci fa capire quanto ancora non si capisca.

3132. L'aridità deriva dall'aver dissipato la sensibilità dello spirito. Si rimane come una conchiglia vuota, priva dell'eco delle nostre emozioni.

3133. L'ovvio è come uno specchio a due vie. Se si è da una parte, si vede solo riflessa la nostra superficialità. Se si è dall'altra parte, si vedono cose che non si sospettavano nemmeno.

3134. L'arroganza indirettamente proclama i nostri fallimenti: se si fosse fatto qualcosa di buono, non avremmo bisogno di essere arroganti.

3126. As a piece of plastic floats on water by not absorbing it, likewise one's indifference floats on the sorrow of others for the same reason.

3127. We want to be loved by others because so demands either our love for them or our vanity.

3128. It is not very difficult for the indifference of egoism to seem strong in the sorrow of misfortune of those who should be affectively close.

3129. Some are obsessed by the obvious. Perhaps for the lack of originality.

3130. Nothing is useless since there always will be some who are interested in it. These different interests are necessary for the variety of a society.

3131. The search for comprehension (e.g., that of philosophy) makes us understand how much we do not understand yet.

3132. Aridity derives from dissipating the sensibility of the spirit. We are left like an empty sea shell, devoid of the eco of our emotions.

3133. The obvious is like a two way mirror. If one is on one side, one only sees reflected one's superficiality. If one is on the other side, one sees things that one did not even suspect.

3134. Arrogance indirectly proclaims our failures: if we had done something good, we would not need to be arrogant.

3135. Non si vede la voragine tra quello che siamo e quello che sogniamo di essere, perché è coperta dallo spesso strato della nostra vanità.

3136. L'ignoranza (o forse una superficiale percettibilità) è il balsamo con cui la natura cura le ferite della nostra mediocrità.

3137. La perdita dei nostri peccati lascerebbe un vuoto non più piccolo di quello della perdita delle nostre virtù. Non perché siano preziosi, ma perché sono così vari e ripetuti. Ma in realtà, la perdita degli uni o delle altre mutilerebbe la nostra umanità. Inoltre, senza i peccati, le virtù perderebbero significato.

3138. Certe domande fanno intendere quale risposta vogliano.

3139. Le nostre contraddizioni sono coerenti in quanto riflettono la necessità del fermento fisiologico della nostra natura. Le oscillazioni inevitabili delle nostre emozioni.

3140. Ogni eccesso tende ad indurre il suo opposto, proprio per il fatto che stanca per essere eccessivo.

3141. La volontà deve fare i conti con la stanchezza, fisica o emotiva. In tal caso, deve consultare i vantaggi di una pausa.

3142. Abusando il presente, la dissipazione dissipa sopra tutto il nostro futuro.

3143. La forza di spirito è la barca che permette di solcare i marosi delle tempeste della vita.

3135. We do not see the chasm between what we are and what we dream of being because it is covered by the thick layer of our vanity.

3136. Ignorance (or perhaps a shallow perceptibility) is the balm with which nature cures the wounds of our mediocrity.

3137. The loss of our sins would leave a vacuum not smaller than that of the loss of our virtues. Not because they are precious, but because they are so varied and repeated. But in reality, the loss of the former or of the latter would mutilate our humanity. Furthermore, without our sins, virtues would lose their meaning.

3138. Certain questions make one understand which answer they demand.

3139. Our contradictions are coherent in that they reflect the necessity of the physiological turmoil of our nature. The inevitable sway of our emotions.

3140. Every excess tends to induce its opposite, exactly for the fact that it tires because it is excessive.

3141. Willpower has to reckon with tiredness, physical or emotive. In such a case it has to consult the advantages of a pause.

3142. By abusing the present, dissipation dissipates above all our future.

3143. Strength of spirit is the boat that allows ploughing the breakers of the tempests of life.

3144. Se si sfogano le tensioni interne, le diminuiamo, ma allo stesso tempo ci si rende conto che la nostra debolezza ha ceduto alla pressione.

3145. La routine comincia quando l'interesse nella nostra attività quotidiana cessa.

3146. Si può aver successo o fallire sia facendo sia criticando.

3147. Un'analisi che si addentra in profondità spesso conduce nel labirinto della confusione.

3148. Per vedere le cose, spesso si mettono gli occhiali del nostro interesse. Non si può rischiare di non vedere i propri vantaggi. Questo è particolarmente vero quando un'attività è specificamente diretta a tale scopo, come, per esempio, negli affari o nelle relazioni internazionali.

3149. Si può non capire la visione generale a causa dei dettagli e i dettagli a causa delle astrazioni generali. Succede con le menti pratiche e teoriche, rispettivamente.

3150. L'estrema padronanza della parola tende a fare un parolaio piuttosto che un oratore. Quest'ultimo deve esprimere eloquentemente i suoi pensieri e non aver solo abilità tecnica nel parlare.

3151. Come svariati esempi della storia mostrano, si può essere magnanimi (per calcolo illuminato) senza essere veramente generosi. In questo caso, se non si può lodare la solo apparente generosità, si deve riconoscere l'abilità politica.

3144.   If we give vent to our inner tensions, we diminish them, but, at the same time, we realize that our weakness has yielded to pressure.

3145.   Routine begins when the interest in our daily activity ceases.

3146.   One can succeed or fail in either doing or criticizing.

3147.   An analysis that penetrates in depth often leads into the labyrinth of confusion.

3148.   To see matters, we often put on the spectacles of our interest. One can not risk not to see one's own advantage. This is particularly true when an activity is specifically directed to such an aim, as, for example, in business or in international relations.

3149.   One may miss the general overview because of the details and the details because of general abstractions. It happens with practical and theoretical minds, respectively.

3150.   Extreme facility with words tends to create a chatterer rather than an orator. The latter must express eloquently his thoughts and not merely have technical ability in talking.

3151.   As several examples in history show, one can be magnanimous (out of an illuminated self-interest) without being truly generous. In this case, if one can not praise the only apparent generosity, one must recognize the political ability.

3152.   Per un poeta, la bellezza percepita è il punto di partenza e la bellezza concepita dal suo lirismo il punto di arrivo. Tra i due punti, s'interpone la sua sensibilità, ispirazione, immaginazione e creatività.

3153.   Non ha importanza se l'arte segue le mode del suo tempo, basta che sia veramente arte. Se é così, la moda passa e l'arte resta, perché della moda può aver adottato solo lo stile corrente per creare una bellezza diversa. Invece, altri adottano lo stile corrente per creare la bruttezza, sperando che lo stile moderno la renda di moda.

3154.   L'autobiografia spesso descrive non come l'autore è, ma come vorrebbe essere (o apparire). Ma non si pretenderà che chi la scrive si diffami, raccontandoci i suoi fallimenti, le sue miserie e i suoi sbagli.

3155.   Solo la gioventù ignora che ciascun giorno della nostra vita sparisce nell'eternità del passato, per non ritornare mai più. Una giovane età non "sciupa" la vita con la riflessione.

3156.   Un eunuco è più portato all'intrigo che al coraggio. Che sia la mancanza di ormoni maschili?

3157.   Nella rinuncia del sacrificio, si cerca di moderare il proprio egoismo.

3158.   Negli altri, non si sopportano le virtù simulate e qualche volta neanche quelle genuine.

3159.   Si può essere intelligenti senza essere cerebrali e il contrario.

3152.   For a poet, the perceived beauty is the starting point and the beauty conceived by his lyricism the point of arrival. Between the two points lie his sensitivity, inspiration, imagination and creativity.

3153.   It is immaterial whether art follows the fashion of its age, it suffices that it is truly art. If it is so, fashion passes and art remains, because it has adopted only the current style to create a diverse beauty. Instead, others adopt the current style to create ugliness, hoping that the modern style will make it fashionable.

3154.   Autobiography often does not describe the author, but how he wants to be (or to appear). However, one can not ask that the writer should defame himself by telling everybody his failures, misfortunes and blunders.

3155.   Only youth ignores that every day of our life vanishes into the eternity of the past, never to return. A young age does not "spoil" life with reflection.

3156.   A eunuch is more inclined to intrigue than to courage. For lack of male hormones?

3157.   In the self-denial of sacrifice, one seeks to moderate one's own egoism.

3158.   In others, we do not tolerate the simulated virtues, and sometimes not even the genuine ones.

3159.   One can be intelligent without being cerebral and the converse.

3160. Un educatore si rivolge alla mente dei suoi studenti e un istruttore alla loro memoria.

3161. L'intenso dramma della sordità di Beethoven deve aver contribuito non poco alla drammatica bellezza delle sue sinfonie.

3162. Se siamo per natura infingardi, ci si realizza non facendo nulla.

3163. Se comprende poco, l'energia di per sé può essere pericolosamente troppo attiva.

3164. Per essere spiritosi, qualche volta demagogicamente non si esita a dire cose a cui nessuno crede, ma che nessuno contraddice.

3165. Quello che non si fa di quello che dovremmo fare è una misura della nostra pochezza.

3166. La vanità è un ostacolo non al desiderio di andare avanti, ma al desiderio d'eccellere.

3167. Se ci togliessero tutto l'amore di noi stessi, ci rimarrebbe solo l'involucro esterno.

3168. Qualcuno ci rimprovera di essere differenti da come loro si aspettavano che fossimo.

3169. Ci si risente di più di quello che minaccia i nostri difetti che di quello che minaccia le nostre virtù. O, per lo meno, altrettanto.

3160. An educator addresses the mind of his students and an instructor their memory.

3161. The intense drama of the deafness of Beethoven must have contributed quite a bit to the dramatic beauty of his symphonies.

3162. If we are lazy by nature, we realize ourselves by doing nothing.

3163. If it has little understanding, energy by itself may be dangerously too active.

3164. To be witty, sometimes one does not hesitate to say demagogically things that no one believes, but nobody contradicts.

3165. What we do not do of what we should do is a measure of our smallness.

3166. Vanity is an obstacle not to the desire to advance, but to the desire of excelling.

3167. If they were to take from us all self-love, only the outer shell would remain.

3168. Some people reproach us for being different from the way they expected us to be.

3169. We resent more what threatens our own faults than what threatens our virtues. Or, at least, as much.

3170. Una chiarezza ossessiva è un pericolo solo teorico, perché la nostra comprensione è costantemente discontinua.

3171. Quando si scrivono cose oscure e complicate, si spera che qualche lettore vi trovi un significato che sfugge alle nostre stesse ambizioni.

3172. Certo che abbiamo diritto anche ai nostri difetti. Dopo tutto, sono tanta parte di noi e, inoltre, qualcuno ci piace anche.

3173. L'inverno sposta l'alba più vicino al nostro risveglio e pertanto se ne gode la bellezza e la varietà più spesso.

3174. Solo raramente le cose umane sono completamente buone o completamente cattive poiché non siamo perfetti nel bene o nel male.

3175. Si può non essere di moda, perché si appartiene al passato o al futuro.

3176. Quello che è ovvio varia con persone differenti, perché l'ovvio è funzione del livello mentale.

3177. Di quello che si legge, si capisce non tanto quello che è scritto quanto quello che siamo capaci di capire e secondo la nostra maniera di intendere.

3178. In una poesia, si esprimono le emozioni della propria sensibilità.

3179. Il provincialismo ha le dimensioni mentali della propria provincia e se ne compiace.

3170. An obsessive clarity is only a theoretical danger, because our comprehension is consistently discontinuous.

3171. When we write complicated and obscure things, we hope that some readers will find therein a meaning that eludes our very ambitions.

3172. Certainly we are entitled to our faults. After all, they are so much of ourselves and, further, we also like some of them.

3173. Winter moves dawn closer to our waking up and therefore we enjoy its beauty and variety more often.

3174. Only rarely are human things completely good or completely bad since we are not perfect in good or evil.

3175. We may not be fashionable because we belong either to the past or to the future.

3176. What is obvious varies with different people, because the obvious is a function of the mental level.

3177. Of what we read, we understand not so what is written as that which we are capable of understanding and according to our way of understanding.

3178. In a poem, one expresses the emotions of one's sensibility.

3179. Provincialism has the mental dimensions of its own province and it is pleased by it.

3180. L'indecisione è fatta solo di domande ansiose.

3181. L'aforisma è come una candela che con la sua luce piccola e vacillante dà forma e colori a concetti che, ignorati, vagavano nell'oscurità dell'inconsapevolezza.

3182. Per quanto pregi la sua "oggettività", anche la scienza può peccare di sussiego. Le scoperte sono sue, ma non quello che è stato scoperto. Per esempio, si può dare il proprio nome a leggi che non abbiamo creato.

3183. Poco importa se si mostrano o si nascondono le nostre emozioni. La cosa importante è provarle.

3184. La volontà talvolta pecca di durezza verso noi stessi.

3185. Il confine fisico della nostra individualità è la nostra pelle, come per un formaggio è la crosta.

3186. Le lodi più sperticate (e solo lodi) vengono riservate per i morti, Cioè, quando non possono più sentirle. Forse per quella ragione?

3187. Quello che entra solo nella memoria, poi si dimentica. Quello che si capisce, cambia la mente.

3188. La vita è un grande esame. Il problema è passarlo, dal momento che non c'è un esame di riparazione.

3180.   Indecision is made only of anxious questions.

3181.   An aphorism is like a candle that with its small and fli-
ckering light gives form and colors to concepts that, ignored,
wandered in the obscurity of unconsciousness.

3182.   Although it values its "objectivity", even science may
commit the sin of presumption. The discoveries are its own,
but not what was discovered. For example, one can give one's
own name to laws that one has not created.

3183.   It does not really matter whether we show or we hide
emotions. What matters is that we feel them.

3184.   Willpower sometimes is a sin of hardness toward
ourselves.

3185.   The physical boundary of our identity is our skin, as for
cheese it is the rind.

3186.   The most unreserved praises (and only praises) are re-
served for the dead. That is, when they can not hear them any
longer. Maybe for that reason?

3187.   What only enters memory is then forgotten. What we
do understand changes the mind.

3188.   Life is a big test. The problem is to pass it, since there is
no make-up examination.

3189. Nella vita pubblica, chi sfrutta per i propri fini concetti nobili che non pratica (come coraggio, integrità, dedizione, patriottismo, democrazia, ecc.) induce un senso di cinismo in chi ascolta e capisce.

3190. La furbizia e la stupidità possono coesistere nella stessa persona perché ambedue possono essere il risultato della mancanza di comprensione.

3191. La bellezza fisica non è mai triste. La stessa cosa si può dire anche della bruttezza quando si associa ad un'intima gentilezza di spirito.

3192. L'opacità è il prodotto del torpore dello spirito.

3193. Più siamo piccoli e meno basta per sentirci speciali.

3194. Ci si compiace di essere bizzarri, perché lo si prende per un marchio di originalità.

3195. Nell'umiltà si diminuiscono i meriti che si hanno, e nella superbia si aumentano i meriti che non si hanno.

3196. Quello che protegge la grossolanità è la mancanza di coscienza di se stessa.

3197. L'arroganza esagera la mediocrità di una persona, aggiungendovi un altro difetto spiacevole.

3189. In public life, the ones who exploit for their aims noble concepts that they do not practice (such as courage, integrity, dedication, patriotism, democracy, etc.) induce a sense of cynicism in those who listen and understand.

3190. Shrewdness and stupidity may coexist in the same person, because both can be the result of lack of understanding.

3191. Physical beauty is never sad. The same thing can be said also of ugliness when it is associated with an inner gentleness of spirit.

3192. Opacity is the product of the torpor of the spirit.

3193. The smaller we are the less we need to feel special.

3194. One is pleased with being bizarre, because one takes it as a mark of originality.

3195. In humility we diminish the merits that we have, and in haughtiness we increase the merits that we do not have.

3196. What protects coarseness is the lack of self-consciousness.

3197. Arrogance exaggerates a person's mediocrity, by adding to it another unpleasant fault.

3198. È assai più facile esaltare sinceramente le virtù che praticarle.

3199. La stupidità può non capire ed essere arrogante allo stesso tempo.

3200. Per esserci utile, non è necessario che quello che si capisce ci piaccia.

3201. Le due componenti principali del piacere sono le percezioni sensoriali ed il loro ricordo.

3202. Non si diventa grandi né facendo né non facendo cose piccole.

3203. Le chiavi del teatro della vita sono affidate ad ogni nuova generazione.

3204. Dal momento che la natura umana non cambia, le differenze tra successive generazioni sono soprattutto nel comportamento.

3205. Anche una mente eccezionale è ospite di un corpo normale con tutte le sue limitazioni e debolezze.

3206. Il piacere è una percezione sensoriale e la felicità è un modo di sentire.

3207. Ciascuno di noi è un attore inconsapevole sulla scena della vita.

3208. La modernità è assolutamente necessaria per fare uno contemporaneo, ma di per sé non fa molto di più.

3198. It is much easier to sincerely extol virtues than practice them.

3199. Stupidity may not understand and be arrogant at the same time.

3200. To be useful, we do not need to like what we understand.

3201. The two principal components of pleasure are the sensory perceptions and their remembrance.

3202. One does not become great by either doing or not doing small things.

3203. The keys of the theater of life are trusted to every new generation.

3204. Since human nature does not change, the differences among successive generations are mostly in behavior.

3205. Even an exceptional mind is the guest of a normal body, with all its limitations and weaknesses.

3206. Pleasure is a sensorial perception whereas happiness is a way of feeling.

3207. Each of us is an unconscious actor on the stage of life.

3208. Modernity is absolutely necessary to make one contemporary, but in itself it does not do much more.

3209. Tra le variabili che determinano il nostro comportamento qualche volta predomina la volontà.

3210. La stanchezza si cura con un po' di riposo, non con la tenacia.

3211. La moda fa famosa solo la gente di moda.

3212. I capricci spensierati dei vortici separano i fiocchi di neve dalla disciplina rettilinea delle gocce di pioggia.

3213. Una mente meschina non sarà mai poetica.

3214. Perché la creatività reagisca alla bellezza, la sensibilità deve essere acuita da emozioni che la commuovono.

3215. Le illusioni sono le figlie di una tenace speranza.

3216. Per apprezzare una brutta poesia basta un po' di cattivo gusto.

3217. Il buon gusto di una società dipende dal buon gusto individuale e si riflette nell'ambiente che quella crea.

3218. Come per l'amore, non esiste un odio razionale.

3219. Una notte stellata ci dà la misura della nostra piccolezza, ma in una maniera seducente.

3220. Alla fragilità della razza umana, Dio ha dato una scintilla della sua divinità con il pensiero e gli affetti.

3209. Among the variables that determine our behavior sometimes willpower predominates.

3210. Tiredness is cured with a little rest, not with tenacity.

3211. Fashion makes famous only fashionable people.

3212. The lighthearted whims of the vortices separate the snowflakes from the rectilinear discipline of the raindrops.

3213. A mean mind will never be poetical.

3214. For creativity to react to beauty, sensitivity must be sharpened by emotions that move it.

3215. Illusions are the daughters of a tenacious hope.

3216. To appreciate an ugly poem a little bad taste suffices.

3217. The good taste of a society depends on individual good taste and it is reflected in the environment that it creates.

3218. As for love, there is no rational hatred.

3219. A starlit night gives us a measure of our smallness, but in a seductive manner.

3220. To the frailty of humankind, God has given a spark of its divinity by means of thought and affections.

3221. L'alba apre il sipario su un altro giorno dello spettacolo della vita.

3222. Per reazione, la fine di una grande passione non può che lasciare un profondo senso di vuoto.

3223. Ogni giorno, la luce del sole sorge ad illuminare l'anima umana. Un mese senza la luce del sole basterebbe per gettarci in un profondo sgomento.

3224. Non si diventa originali solo per seguire la moda corrente. Al contrario, al contrario.

3225. Una grande sofferenza purifica l'animo di dolori irrilevanti.

3226. Non si è mai abbastanza umili, anche se lo si è.

3227. Quando si è insensibili, l'indifferenza non ci disturba.

3228. Una signora è sopratutto femminile, a cominciare dal profumo che usa.

3229. Tentare è già una forma di successo.

3230. Più che ingrati, si può non capire quanto è stato dato all'umanità.

3231. Per alcuni, la filosofia è un ozioso passatempo di lusso.

3221.   Dawn opens the curtain on another day of the spectacle of life.

3222.   As a reaction, the end of a great passion can not but leave a deep sense of emptiness.

3223.   Daily, the light of the sun rises to light up the human soul. A month without sunlight would be enough to throw us into deep dismay.

3224.   One does not become original only by following the current fashion. On the contrary, on the contrary.

3225.   A great sorrow cleanses the soul of trivial sorrows.

3226.   One is never enough humble, even if one is.

3227.   When we are insensitive, indifference does not disturb us.

3228.   A lady is above all feminine, beginning with the perfume that she uses.

3229.   To try is already a form of success.

3230.   More than ungrateful, we may not understand how much has been given to humanity.

3231.   For some people, philosophy is an idle luxury pastime.

3232.   La vanità è l'intollerante guardiano del nostro Io.

3233.   Per quanto tenuta nascosta dentro, la speranza non risparmia neanche i pessimisti.

3234.   Un amore profondo perdona tutto.

3235.   L'autunno ha la malinconica grazia di un inevitabile declino.

3236.   Dovremmo coltivare la natura che la Natura ci ha dato.

3237.   Un padre non sarà mai idoneo a sostituire la madre. Nessuno lo è.

3238.   Chi è complicato di natura è confuso dalla chiarezza. Lo sgomenta il fatto che vi possa essere solo un significato inequivocabile che non permette farneticamenti.

3239   Una poesia cerebrale è solo una pretenziosa esercitazione in futilità.

3240   Certo che siamo liberi, ma anche di essere stupidi, come quando, per non sembrare stupidi, si difende quello in cui non si crede.

3241.   Si può essere in disaccordo anche con quello che non si capisce.

3242.   Per quanto possa non esserci del tutto chiaro, non determiniamo quello che ci determina.

3232.   Vanity is the intolerant guardian of our Self.

3233.   Although kept hidden within, hope does not spare even pessimists.

3234.   A deep-felt love pardons everything.

3235.   Autumn has the melancholy grace of an inevitable decline.

3236.   We should cultivate the nature that Nature gave us.

3237.   A father will never be suitable to substitute for a mother. Nobody is.

3238.   If one is by nature complicated, one is confused by clarity. One is dismayed by the fact that there might be only an unequivocal meaning that does not permit ravings.

3239.   A cerebral poem is only a pretentious exercise in futility.

3240.   Certainly we are free, but also of being stupid, as when, in order not to seem stupid, we defend that in which we do not believe.

3241.   One may disagree even with what one does not understand.

3242.   Although it may not be entirely clear to us, we do not determine what determines us.

3243. La disciplina imposta dai genitori è il frutto di un affetto illuminato. Il suo scopo dovrebbe essere quello di istillare l'auto-disciplina attraverso l'abitudine alla disciplina.

3244. Il rilassarsi è appagato da qualcosa di piacevolmente diverso.

3245. Spesso si crede di sapere non solo quello che non si sa, ma addirittura quello che non si capisce.

3246. Non è mai convincente quello di cui definitivamente non vogliamo esserne convinti.

3247. Non solo bisogna saper vedere i nostri reali interessi, ma avere il coraggio di perseguirli anche se dispiace ai nostri difetti.

3248. Se veramente si volesse imparare da uno scambio d'idee, si ascolterebbe più attentamente, invece di pensare a come rispondere in difesa della pseudo-validità delle nostre prevenzioni.

3249. Il dover riconoscere che un altro ha ragione (e noi torto) può essere per noi solo un motivo d'irritazione. Non ci piace imparare se questo comporta un'abrasione della nostra vanità.

3250. Una razza non può rinunciare a volere un futuro, persino se non ha un passato. Se poi ha un grande passato, voler un futuro diventa un dovere assoluto. Letteralmente, è l'obbligo di sopravvivere.

3243. The discipline imposed by parents is the fruit of an enlightened affection. Its aim should be that of instilling self-discipline through the habit of discipline.

3244. The need to relax is fulfilled by something pleasantly different.

3245. Often we believe to know not only what we do not know, but even what we do not understand.

3246. It is never convincing that of which definitively we do not want to be convinced.

3247. Not only must we endeavor to see our real interests, but also to have the courage to pursue them, even if displeases our faults.

3248. If we truly wanted to learn, we would listen more carefully instead of thinking about how to respond in defense of the pseudo-validity of our prejudice.

3249. Having to recognize that somebody else is right (and that we are wrong) can be for us a reason for irritation. We do not like to learn if this involves an abrasion of our vanity.

3250. A race can not renounce to have a future, even if it has no past. If it has a great past, wanting a future becomes an absolute duty. Literally, it is the obligation to survive.

3251. Un vantaggio dell'umiltà è la chiarezza con cui ci si vede.

3252. La necessaria varietà di opinioni comporta che relativamente poche affermazioni siano giuste. Alla varietà delle opinioni non può corrispondere una simile varietà di verità. Tutt'al più, ci può essere un piccola frazione di verità qua e là tra i numerosi sbagli.

3253. Per chi non ha buon senso, se le cose sono sensate o meno non vuol dire nulla.

3254. La nostra libertà e responsabilità richiedono che ci sia permesso d'infrangere le leggi di natura, anche se la necessità di queste ultime è resa apparente dalle conseguenze negative della loro infrazione.

3255. Persino un amore angelico ha una forza diabolica.

3256. Un avvocato può essere più eloquente quando non dice la verità, perché allora ha più bisogno di essere convincente. Per questo, spesso, facendo un'arringa, recita come un attore per ottenere (se non il plauso) l'approvazione della giuria.

3257. Virtù e vizi sono presenti in tutti noi, ma qualcuno nasconde le virtù per le più svariate ragioni, incluso il voler sembrare originale o per lo meno non convenzionale.

3258. Qualcuno crede che la libertà consista nel fare quello che ci piace e nel non fare quello che dispiace. Invece, la libertà può consistere nel fare quello che dettano le nostre convinzioni.

3251. A benefit of humility is the clarity with which we see ourselves.

3252. The necessary variety of opinions implies that relatively few statements can be right. To the variety of opinions can not correspond a similar variety of truths. At most, there can be a little fraction of truth here and there among the numerous mistakes.

3253. For those who do not have common sense, if things make or do not make sense does not mean anything.

3254. Our freedom and responsibility demand that we should be allowed to infringe the laws of nature, even if the necessity of the latter is made apparent by the negative consequences of their infraction.

3255. Even an angelic love has a diabolic strength.

3256. A lawyer may be most eloquent when he does not say the truth, because then he needs to be most convincing. For this reason, often in making a harangue, he plays a part like an actor to gain (if not the applause) at least the approval of the jury.

3257. Virtues and vices are present in all of us, but some hide the virtues for the most various reasons, including that of wanting to seem original or at least unconventional.

3258. Some believe that freedom might consist in doing what we please and not doing what we dislike. Instead, freedom might consist in doing what our convictions dictate.

3259. Vi può non essere merito solo in chi scrive o solo in chi legge. Secondo il caso, l'uno dei due è "colpevole" e l'altro "sfortunato".

3260. È difficile nascondere l'insipienza nella chiarezza. Per questo, talvolta si preferiscono le involuzioni della pseudo-eleganza. Non si sa quello che si dice, ma lo si dice bene.

3261. A voler far ridere sempre la gente, si rischia di diventare solo dei pagliacci.

3262. Se dici qualcosa di non gradito (e basta che sia un'opinione differente), non dicono necessariamente che hai torto, ma invece che la tua cravatta non ci dice col vestito o che gli occhiali ti stanno male. La risposta in generale è altrettanto meschina.

3263. Tutti consideriamo qualcosa sacro. Se non altro, il proprio Io.

3264. L'umiltà ci protegge dalle umiliazioni.

3265. In quello che si fa, certamente si deve cercare noi stessi. Il problema semmai comincia con quello che si trova.

3266. Il lirismo è una forma sensibilizzata ed eterea di bellezza.

3267. Il sentimentalismo comincia quando i sentimenti diventano dolciastri. Il pessimismo quando diventano amari. E il cinismo quando i sentimenti sono morti e sepolti.

3259.   There may be no merit only in a writer or only in a reader. Depending on the case, one is "guilty" and the other "unlucky".

3260.   It is difficult to hide foolishness in clarity. For this reason, sometimes we prefer the involutions of pseudo-elegance. We do not know what we are saying, but we say it well.

3261.   To be wanting always to make people laugh, we risk becoming only clowns.

3262.   If you say something that is not welcome (and a different opinion suffices), they do not necessarily say that you are wrong, but rather that your tie disagrees with your suit or that your eyeglasses do not suit you. The answer in general is as petty.

3263.   We all deem something sacred. If nothing else, our own Self.

3264.   Humility protects us from humiliations.

3265.   In what we do, certainly we should seek ourselves. The problem, if any, begins with what we find.

3266.   Lyricism is a sensitized and ethereal form of beauty.

3267.   Sentimentalism begins when sentiments become sweetish. Pessimism when they become bitter. And cynicism when the sentiments are dead and buried.

3268.   Se un aforisma non afferma una verità, che altro mai potrebbe dire?

3269.   Per aver paura della verità, bisogna essere deboli oltre ogni speranza di redenzione. Ci si difende non volendola sapere, specialmente se non possiamo far nulla in risposta ai suoi rimproveri.

3270.   Non ci sono fiori senza foglie come non ci sono intuizioni senza un sottofondo di comprensione istintiva.

3271.   La bellezza fiorisce solo quando è apprezzata dal senso estetico. Questa relazione obbligata (stimolo e recettore adatto) si applica praticamente a tutto. Questa è la base del valore relativo delle cose per differenti persone: stesso stimolo, differenti recettori.

3272.   Che cosa è la verità se non la corrispondenza tra quello che si pensa di qualcosa e l'essenza di quella cosa? L'essenza essendo unica, vi può essere solo una verità relativa a quella, anche se in genere ci sono numerose opinioni (vale a dire, maniere giuste o sbagliate di vedere quella verità).

3273.   È utile avere una lunga pazienza ed è indispensabile avere una molto più lunga tenacia.

3274.   Se un aforisma vuol essere un paradosso, deve prima rinunciare ad essere un aforisma (non s'indagano le eccezioni prima delle regole).

3275.   La superficialità è spesso anticonformista, perché questo è il suo solo modo di essere "profonda" (od "originale").

3268.   If an aphorism does not state a truth, what else could it state?

3269.   To be afraid of the truth, one has to be weak beyond any hope of redemption. One defends himself by not wanting to know it, especially if one can do nothing in response to its reproaches.

3270.   There are no flowers without leaves as there are no intuitions without an underlying instinctive comprehension.

3271.   Beauty blossoms only when appreciated by aesthetic sense. This obligatory relation (stimulus and a suitable receptor) applies to just about everything. This is the basis of the relative value of things for different people: same stimulus, different receptors.

3272.   What is the truth if not the correspondence between what we think of something and the essence of that something? The essence being unique, there can be only one truth relative to it, even if in general there are numerous opinions (that is to say, right or wrong ways of seeing that truth).

3273.   It is useful to have a long patience and it is indispensable to have a far longer tenacity.

3274.   If an aphorism wants to be a paradox, it must first renounce to be an aphorism (exceptions can not be investigated before the rules).

3275.   Superficiality is often unconventional, because this is its only way to be "profound" (or "original").

3276. Il paradosso cerca di essere spiritoso senza necessariamente essere vero. Se deve rinunciare ad essere spiritoso per pronunciare una verità, cessa di essere un paradosso. Il paradosso non cerca la verità, ma è spesso stimolante con l'affermare il contrario di quello che è generalmente accettato, qualche volta basandosi su ovvie contraddizioni ed eccezioni. Può far vedere le cose da un angolo diverso da quello abitudinario. Ma spesso non è (né vuole essere) serio, e gli piace di essere considerato eccentrico. Intrattiene sempre e qualche volta indirettamente istruisce pure, facendo riflettere.

3277. Col passar del tempo, la natura distrugge con fermezza l'innocenza dell'infanzia con i turbamenti dell'adolescenza. Adatta mente e corpo alle cangianti funzioni fisiologiche.

3278. La differenza tra tenacia e ostinatezza la fa la comprensione di quello che si persegue.

3279. Non bisognerebbe essere anticonformisti per atteggiamento, ma perché imposto dall'originalità. Ribellarsi alla convenzionalità non è molto originale se non abbiamo qualcosa di meglio da offrire. Anche un bimbo è capace di negare qualcosa.

3280. L'opinione della maggioranza: generalmente parlando, è meglio essere solo ad avere ragione che in compagnia di novantanove ad avere torto.

3276.   Paradox seeks to be witty without necessarily being true. If it has to renounce being witty to state a truth, it ceases to be a paradox. Paradox does not seek the truth, but often is stimulating by stating the contrary of what is generally accepted, sometimes on the basis of blatant contradictions and exceptions. It may make one see things from an angle different from that of habit. But often it is not (and it does not want to be) serious, and it likes to be considered eccentric. It always entertains and sometimes indirectly instructs too, by making one reflect.

3277.   With the passing of time, nature destroys ruthlessly the innocence of infancy with the troubled feelings of adolescence. It adapts mind and body to the changing physiological functions.

3278.   The difference between tenacity and obstinacy is made by the comprehension of what one pursues.

3279.   One can not be unconventional as an attitude, but because it is imposed by originality. To rebel to conventionality is not very original if we do not have something better to offer. Even a child is able to deny something.

3280.   Majority opinion: generally speaking, it is better to be alone in being right than in the company of ninety-nine in being wrong.

3281. Fare della letteratura è cosa meritevole, ma non quando si dovrebbe perseguire qualche cos'altro. Per es., la filosofia. Reciprocamente, quando si fa della filosofia, bisogna non perseguire la letteratura come tale. Non si può perseguire la verità cercando di intrattenere la parte fantastica della nostra mente. La filosofia dovrebbe intrattenere, sì, ma la parte logica della mente cercando lucidamente la verità. Altrimenti, si finisce con non fare né letteratura né filosofia. Nella filosofia, le "eleganze" contano poco se quello che si dice non è vero. L'eleganza deve essere nella chiarezza con cui si formula la verità.

3282. I baci sono come i fiori: non si chiedono, si colgono. E spesso non chiedevano che di essere colti. Ma non senza conseguenze, qualche volta considerevoli. Uno bacia a suo rischio e pericolo. Di innamorarsi. Per quanto, può essere il contrario.

3283. Il differente uso delle parole riflette la variabilità della stessa mente. Volta a volta, le parole possono essere usate per comunicare, convincere, commuovere, insegnare, imbrogliare, intrattenere, fare dei pettegolezzi, cantare, offendere, nascondere, confondere, ecc.

3284. La cronaca è il pettegolezzo della storia. Come ogni pettegolezzo, è presto dimenticata.

3285. Frequentemente, i piaceri a corta scadenza non hanno nessuna relazione con quelli a lunga scadenza. Anche perché i primi soddisfano i sensi (per esempio, mangiare bene e bere meglio) e i secondi soddisfano le emozioni (per esempio, l'amore).

3281.   To pursue literature is a worthwhile endeavor, but not when one should be pursuing something else. E.g., philosophy. Reciprocally, when one is pursuing philosophy, one should not pursue literature as such. One can not pursue the truth and try to entertain the fantastic part of the mind. Philosophy should be entertaining, yes, but the logical part of the mind by lucidly pursuing of truth. Otherwise, one ends up in doing neither literature nor philosophy. In philosophy, "elegance" matters little if what one say is not true. The elegance must be in the clarity which the truth is stated.

3282.   Kisses are like flowers: not to be asked, but to be plucked. And often they only asked to be plucked. But not without consequences, sometimes considerable. One kisses at one's own risk and danger. Of falling in love. Although it may be the converse.

3283.   The different use of words reflects the variability of the same mind. At different times, they can be used to communicate, convince, move, teach, cheat, entertain, engage in gossip, sing, offend, hide, confound, etc.

3284.   The daily news is the gossip of history. Like every gossip, it is soon forgotten.

3285.   Frequently, short term pleasures have no relation whatever with long term pleasures. Also because the former satisfy the senses (for example, to eat well and drink "better") and the latter satisfy the emotions (for example, love).

3286. Sono le aspirazioni, ambizioni, desideri, frustrazioni, inclinazioni, speranze, antipatie, ecc. che mantengono l'anima insoddisfatta. Necessariamente insoddisfatta, se vi deve essere uno sviluppo.

3287. L'infelicità è uno stato emotivo che non può ignorare la comprensione: molti sono infelici perché non comprendono che non hanno nessuna ragione di esserlo.

3288. Tutti cercano il piacere: la differenza è nel dove lo trovano.

3289. La felicità ed i piaceri possono essere vissuti indipendentemente.

3290. Una differenza tra arte e scienza: la prima aspira a quello che è "bello" e la seconda a quello che è "vero". Ma ci sono anche vere bellezze e verità belle.

3291. Un diario personale è un colloquio con se stessi. Per la sua natura, non può che essere intimo. Vi si riversano pensieri, emozioni, osservazioni, speranze, paure e riflessioni che costituiscono il nostro Io e che altrimenti sarebbero destinate a svanire nel nulla. Se uno lo scrive pensando alla pubblicazione, allora non è un diario, ma una documentazione selettiva e ragionata di quello che uno ha pensato e fatto e che vuole condividere con tutti.

3292. Un amore profondo non ha bisogno di esibirsi in pubblico. Anzi, lo evita. I baci in pubblico (a meno che non siano il risultato di un desiderio improvviso e irresistibile) sono solo per gli altri (o per illudere se stessi) e dicono che l'amore non durerà.

3286. It is the aspirations, ambitions, desires, frustrations, inclinations, hopes, dislike, etc. that keep the soul unsatisfied. Necessarily unsatisfied, if there is to be development.

3287. Unhappiness is an emotional state that can not ignore understanding: many are unhappy because they do not understand that they have no reason to be so.

3288. Everyone seeks pleasure: the difference is where they find it.

3289. Happiness and pleasures may be lived independently.

3290. A difference between art and science: the former aspires to what is "beautiful" and the second to what is "true". But there are also true beauties and beautiful truths.

3291. A personal diary is a colloquy with oneself. By its nature, it can not be but intimate. One pours in it thoughts, emotions, observations, hopes, fears and reflections that make up our Self and that otherwise would be destined to fade into nothingness. If one writes it with publication in mind, then it is not a diary, but a selective and reasoned record of what one thought and did that one wants to share with everyone.

3292. A deep love does not need to be shown off publicly. On the contrary, it avoids it. Kisses in public (unless they are the result of a sudden and irresistible desire) are only for others (or to delude oneself) and they say that love will not last.

3293. La logica affascina, soprattutto perché è uno strumento indispensabile per capire. Ma non è difficile riconoscerne le limitazioni: un rimprovero che uno può fare alla logica è di non avere emozioni. Ma non si può rimproverare alle emozioni di non avere una logica.

3294. I sensi sono come un sistema di radar che continuamente raccoglie i segnali dell'ambiente, anche quando noi non prestiamo attenzione.

3295. I segnali dall'ambiente sono trasformati in messaggi dalla mente. Un messaggio che indica pericolo immediatamente recluta l'attenzione: un meccanismo essenziale per la sopravvivenza.

3296. Qualcuno è anticonformista perché quella è la sua maniera d'essere convenzionale. Ma anche quello contribuisce all'effervescenza della quotidiana varietà.

3297. Senza logica, si perderebbe la filosofia, ma senza emozioni si perderebbe la musica, la poesia, le opere, la letteratura, le gioie, i dolori, ecc. Senza emozioni si perderebbe quello che potentemente contribuisce a dare un significato alla vita e senza filosofia si perderebbe l'analisi del significato della vita. Tuttavia, la funzione della logica va ben oltre la filosofia dal momento che bisogna ragionare anche circa le cose di tutti i giorni.

3298. Ci si deve accettare come siamo, anche perché siamo il risultato del caso e della fortuna. Quando siamo stati concepiti, avremmo potuto essere uno qualsiasi dei milioni di differenti sé.

3293.   Logic fascinates, above all because it is an indispensable instrument for understanding. But it is not difficult to recognize its limitations: one can reproach logic for not having emotions. But one can not reproach emotions for not having a logic.

3294.   The senses are like a radar system that continually collects the signals from the environment even if we pay no attention.

3295.   The signals from the environment are transformed in messages by the mind. A message that indicates danger immediately recruits attention: an essential mechanism for survival.

3296.   Some are unconventional because that it is their way of being conventional. But that too contributes to the effervescence of the daily variety.

3297.   Without logic, we would lose philosophy, but without emotions we would lose music, poetry, operas, literature, joys, sorrows, etc. That is, without emotions we would lose that which powerfully contributes to give a meaning to life and without philosophy we would lose the analysis of the meaning of life. Although, the function of logic goes far beyond philosophy since we must reason also about the matters of every day.

3298.   We must accept ourselves also because we are the result of chance and fortune. When we were conceived, we could have been anyone of the millions of different selves.

3299.	Ogni tanto, è necessario librarsi al di sopra della propria mediocrità. Se non altro, per esperimento o per sbaglio.

3300.	Alle nostre emozioni non importa se le capiamo o meno.

3301.	La semplicità è più convincente della raffinatezza. Anche perché la semplicità può essere raffinata (alla sua maniera), ma la raffinatezza non è mai semplice dal momento che lavora con le frange.

3302.	Qualche volta siamo affascinati dalla stranezza delle nostre affermazioni: ci sembra così acuta.

3303.	La freddezza è un'emozione che non ne ha alcuna e cui si risponde con freddezza.

3304.	Quello che si considera sanzionato da una "autorità" è spesso l'opinione di una persona eccezionale. Come tutte le opinioni, può essere sbagliata. Lo dimostra il fatto che ci sono opinioni divergenti di differenti "autorità".

3305.	La razza umana è intrattenuta dai primi della classe della vita, che siano questi grandi compositori, pittori, poeti, scrittori, registi, filosofi, ecc.

3306.	Quando la logica non è bilanciata dalle emozioni diventa tanto pericolosa quanto le emozioni non bilanciate dalla logica. Il fatto è che si rompe un equilibrio essenziale. La logica vuol comprendere, ma le emozioni ci danno indispensabili sentimenti. Le emozioni sole possono portare all'illogicità e la logica sola può portare all'aridità.

3299.   Once in a while, it is necessary to hover above our mediocrity. If nothing else, as an experiment or by mistake.

3300.   The emotions do not care whether or not they are understood.

3301.   Simplicity is more convincing than refinement. Also because simplicity can be refined (in its own way), but refinement is never simple since it works with the fringes.

3302.   Sometimes we are fascinated by the strangeness of our statements: it seems to us so sharp.

3303.   Coldness is an emotion that does not have any and to which one responds with coldness.

3304.   That which we consider sanctioned by an "authority" is often the opinion of an exceptional person. And, like all opinions, it may be wrong. This is demonstrated by the fact that there are divergent opinions of different "authorities".

3305.   The human race is entertained by the first of the class, be they great composers, painters, poets, writers, film directors, philosophers, etc.

3306.   When logic is not balanced by emotions, it becomes as dangerous as when emotions are not balanced by logic. The fact is that we break an essential balance. Logic wants to understand, but the emotions give us indispensable feelings. The emotions alone can lead to illogicality and the logic alone can lead to aridity.

3307. Da un punto di vista teorico (o funzionale), un avaro è sempre povero. Da un punto di vista pratico anche un prodigo lo è (è sempre senza soldi).

3308. Sia nella logica che nelle emozioni ci può essere una certa qualità.

3309. Un poeta dice una cosa e chi lo legge gliene fa dire mille.

3310. Si vede soprattutto quello che interessa alla nostra miopia.

3311. Alla stoltezza non serve neanche l'esperienza. Per questo, se prevede, spesso sbaglia.

3312. La pazienza è resa più difficile dalla mancanza d'immaginazione. Uno sopporta passivamente, invece di cercare delle soluzioni adatte.

3313. Per eccellere, aiuta il fatto che non vi siano tanti a farlo. La necessità di un sottofondo.

3314. Certa musica classica sembra scritta da burocrati: dov'è la passione? Non nelle note che saltellano monotonamente, senza meta e senza mai levarsi in volo.

3315. Tra i politici, ci sono tanti capi quando ne manca uno di gran valore. Ne risulta una confusione inconcludente di ambizioni inette e meschine.

3316. Non s'insegna se non quello che si è imparato in una maniera o nell'altra. Uno deve dunque continuare a imparare.

3307.   From a theoretical (or functional) point of view, a miser is always poor. From a practical point of view, also a spendthrift is so (he is always without money).

3308.   Both in logic and in emotions there can be a certain quality.

3309.   A poet says one thing and the readers make him say one thousand.

3310.   We see above all what interests our myopia.

3311.   For foolishness not even experience is of use. For this reason, if it foresees, it is often mistaken.

3312.   Patience is made more difficult by the lack of imagination. One endures passively, instead of seeking suitable solution.

3313.   To excel, it helps that there are not many doing so. The necessity of a background.

3314.   Certain classic music seems to be written by bureaucrats: where is the passion? Not in the notes that hop monotonously, aimless and without ever flying.

3315.   Among politicians, there are many leaders when a very good one is lacking. An inconclusive confusion of incompetent ambitions follows.

3316.   One does not teach if not what one has learned in one way or in another. One must then continue to learn.

3317. Uno può permettersi d'essere umile quando il suo merito gli permetterebbe di non esserlo. Ma il merito è una bestia complicata, difficile da definire e soggetta alla propria ed altrui soggettività.

3318. Il merito deve essere capito per essere apprezzato. Lo stesso si applica al demerito. Si vede (per esempio) che quadri di pittori morti poveri sono poi venduti per milioni. E che non solo l'opera ma anche il nome di altri, famosissimi da vivi, svaniscono dopo morti.

3319. Il tempo è un setaccio dalle maglie così fini che la maggior parte delle opere umane finisce con l'essere scartata come crusca.

3320. Chissà perché la presunzione altrui è così irritante mentre la nostra ci sembra essere solo un'obiettiva coscienza dei nostri meriti.

3321. Se non si sta attenti, ci si affeziona anche alle abitudini. O quelle si affezionano a noi.

3322. Il cinismo confonde i sentimenti con la sentimentalità.

3323. Qualche volta si rimpiangono non solo gli errori, ma anche i peccati che non si sono commessi. Non perché siamo immorali, ma perché siamo umani.

3324. Siamo offesi più dall'indifferenza che da una scortesia.

3317. One can afford to be humble when one's merit would allow one not to be. But merit is a complicated beast, difficult to define, and subjected to one's own and others' subjectivity.

3318. One of the problems of merit is that it has to be understood to be appreciated. The same applies to demerit. One sees that (for example) paintings of painters who died poor are then sold for millions. And also that not only the works but also the name of others who, very famous while alive, vanish after death.

3319. Time is a sieve with so fine a network that most of the human works end up in being discarded as bran.

3320. Goodness knows why the presumption of others is so irritating whereas ours seems to us to be only an objective awareness of our merit.

3321. If we do not watch out, we grow fond also of our habits. Or they grow fond of us.

3322. Cynicism confuses sentiments with sentimentality

3323. Sometimes we regret not only the mistakes, but also the sins that we have not committed. Not because we are immoral, but because we are human.

3324. We are offended more by indifference than by rudeness.

3325. Al teatro, la storia di un amore infelice può commuoverci fino alle lacrime, ma non ci fa soffrire vividamente come quando l'amore infelice è il nostro. Di fatto, al teatro l'emozione è dovuta al piacere di una storia bella e commovente, non al dolore dei protagonisti per sé. La differenza di emozioni d'amore viste di fuori o sentite di dentro, per quanto l'emozione per la vicenda altrui può includere l'identificare la nostra storia con la loro.

3326. Se un aforisma non è comprensibile, non è un aforisma ma un enigma.

3327. Gli aforismi che fanno ridere sono o spiritosi o ironici o ridicoli. O sono paradossi.

3328. Non serve a nulla sgomentarsi, specialmente se uno ha tutte le ragioni per farlo. Aiuta avere un po' di coraggio o tanta incoscienza.

3329. Una frase non diventa un aforisma per essere breve, ma per colpire nel segno.

3330. Felicità: un giovane che cammina con la ragazza di cui è innamorato si riconosce dal viso radioso, gli occhi brillanti, i sorrisi smaglianti, il passo elastico e la completa inconsapevolezza del mondo che li circonda. In genere, la ragazza è un po' meno estroversa, ma altrettanto interessata.

3331. I frutti del merito sono moltiplicati dall'abilità.

3325.   At the theater, the story of an unhappy love may move us to tears, but it does not make us vividly suffer as when the unhappy love is our own. In fact, the emotion is due to the pleasure of a beautiful and moving story, not to the sorrow of the protagonist in itself. The difference of love emotions seen from outside or felt within, although the emotion may include the identifying our story with theirs.

3326.   If an aphorism is incomprehensible, it is not an aphorism but a riddle.

3327.   The aphorisms that make people laugh are either witty, ironical or ridiculous. Or they are paradoxes.

3328.   It is useless to become dismayed, especially when one has all the reasons to be so. A little courage or plenty of recklessness helps.

3329.   A sentence does not become an aphorism by being brief, but by hitting the mark.

3330.   Happiness: a youth who walks with the girl with whom he is in love is recognized by his radiant visage, brilliant eyes, dazzling smiles, springy steps and the complete unawareness of the world that surrounds them. In general, the girl is a little less extrovert, but as much interested.

3331.   The fruits of merit are multiplied by ability.

3332. Alla lunga, quello che vi è di artificiale in una serie ininterrotta di paradossi viene a noia al lettore. Quando le eccezioni dei paradossi continui diventano la regola, la regola diventa una piacevole eccezione.

3333. La punizione ideale di un delitto è quella che porta alla redenzione e non ad un ulteriore abbrutimento. Per questo, in generale, la punizione è ben lontana dall'essere ideale. Molto dipende dal condannato.

3334. L'esibizione indiscreta dei propri sentimenti intimi imbarazza l'altrui ritegno.

3335. La confusione altrui può anche darci l'impressione di acutezza quando anche noi non siamo abbastanza acuti da renderci conto della loro confusione. In realtà, le loro affermazioni navigano in un mare di contraddizioni o d'incoerenze dove c'è poco da capire.

3336. La futilità è la piacevole figlia della moda. Per questa ragione, non sopravvive quando sua madre non intrattiene più per aver perso l'attrattiva della novità.

3337. Non abbiamo obiezioni alle verità, con l'eccezione (se non ragionevole, comprensibile) di quelle che non ci piacciono.

3338. Siamo tutti onesti, eccetto quando non lo siamo.

3339. Il riso spontaneo di un bambino è così piacevole da far sorridere di simpatia.

3332. In the long run, whatever artificiality there is in an uninterrupted series of paradoxes makes the reader weary. When the exceptions of continuous paradoxes become the rule, the rule becomes a pleasant exception.

3333. An ideal punishment of a crime is that which leads to redemption and not to greater brutishness. For that reason, in general, punishment is far from being ideal. A lot depends on the individual convict.

3334. The indiscreet exhibition of our intimate feelings embarrasses the restraint of others.

3335. Confusion of others can also give the impression of sharpness when we too are not sufficiently sharp to realize their confusion. In reality, its statements sail on a sea of contradictions or of incoherence where there is little to understand.

3336. Futility is the pleasant daughter of fashion. For this reason, it dies when its mother does not entertain any longer, having lost the attraction of novelty.

3337. We do not have objections to the truths, with the exception (if not reasonable, comprehensible) of those which we do not like.

3338. We are all honest, except when we are not so.

3339. The spontaneous laugh of a child is so pleasant as to make one smile for its attractiveness.

3340. Il ripetersi della stessa attività genera la routine, il cui svantaggio principale è di promuovere l'abitudine e di indurre la mente a ripetersi meccanicamente e senza pensare.

3341. Gli eccentrici prosperano dove i conformisti prevalgono.

3342. L'esaurimento nervoso mina le fondamenta delle emozioni: sembra che nulla valga più la pena.

3343. Il merito può essere apprezzato solo dal merito. Una bella musica ha bisogno di un pubblico sensibile per diventare bella.

3344. Se fossimo erbivori, non ci si mangerebbe l'un l'altro. Non avremmo bisogno neanche d'essere buoni.

3345. Nessuna cosa può essere apprezzata pienamente solo dandoci un occhiata. La superficialità la compara con i suoi pregiudizi senza riflettere su una sostanza che potrebbe metterli in dubbio.

3346. Lo scontro di due vanità non può essere che vano.

3347. Se non fosse per i nostri doveri, saremmo in balia dei nostri diritti. Chi ci salverebbe dal conseguente squilibrio del nostro egoismo?

3348. Il problema delle mode non è che invecchiano presto, ma che qualche volta lo fanno dopo una brutta giovinezza.

3340.   The repetition of the same activity begets the routine, whose major drawback is to foster habit and induce the mind to mechanically repeat itself without thinking.

3341.   Eccentrics prosper where conformists prevail.

3342.   Mental exhaustion undermines the foundation of emotions: nothing seems to be any longer worthwhile.

3343.   Merit can be appreciated only by merit. A beautiful music necessitates a sensitive public to become beautiful.

3344.   If we were herbivores, we would not eat each other. We would not need to be goodhearted.

3345.   Nothing can be fully appreciated only by glancing at it. Superficiality compares it with its own prejudices without reflecting on a substance that could challenge them.

3346.   The clash between two vanities can only be vain.

3347.   If it were not for our duties, we would be at the mercy of our rights. Who would be saved from the consequent unbalance of our egoism?

3348.   The problem of fashions is not that they soon become old, but that sometimes they do so after an ugly youth.

3349. Scambiarsi i pensieri porta allo sviluppo reciproco delle menti. Si profitta dall'interazione dei pensieri nostri e degli altri se s'incorporano criticamente questi ultimi nella nostra maniera di pensare.

3350. Il fatalismo verso le vicende del nostro tempo è un atteggiamento idiota. È solo un alibi per la mancanza di comprensione, volontà, decisione e energia. Si sottovaluta la capacità del coraggio umano.

3351. Imbarazziamo chi ingiustamente non apprezziamo. E ancora di più se lo costringiamo a vantarsi.

3352. La mancanza di sensibilità ha qualche vantaggio: non si vede la bellezza, ma, in compenso, non si è disturbati dalla bruttezza.

3353. Non saremmo così tristi se si apprezzasse quello che si ha, né così allegri se ci si rendesse conto di quello che non si ha. Si compensa alternando tristezza e allegria secondo i capricci dei nostri variabili umori che ora vedono questo e ora quello.

3354. Sembrerebbe che, per definizione, quello che ha un principio non possa essere né eterno né infinito.

3355. È comprensibile che qualche volta i politici debbano mentire, ma non quando dicono cose "nobili". In tal caso, la mancanza di principi incoraggia il cinismo nella gente.

3356. Gli innumerevoli libri che non si sono letti sono i testimoni attendibili della nostra ignoranza.

3349. Exchanging thoughts leads to the reciprocal development of the minds. We profit by the interaction between our and others' thoughts if we critically incorporate the latter in our way of thinking.

3350. Fatalism toward the events of our time is an idiotic attitude. It is only an alibi for the lack of comprehension, will, resolution and energy. The capability of human courage is undervalued.

3351. We embarrass those who unjustly we do not appreciate. And even more if we force them to boast.

3352. Lack of sensitivity has some advantages: one does not see beauty, but, as compensation, one is not disturbed by ugliness.

3353. We would not be so sad if we appreciated what we have, nor so cheerful if we were aware of what we do not have. We compensate alternating sadness and cheerfulness according to the whims of our variable moods, which now see the former and then the latter.

3354. It would seem that, by definition, what has a beginning can not be either eternal or infinite.

3355. It is understandable that sometimes politicians should lie, but not when they say "noble" things. In such a case, the lack of principles begets cynicism in people.

3356. The numberless books we have not read are the reliable witnesses of our ignorance.

3357. L'essenza dell'ovvio risiede nella necessità che le cose elementari e necessarie siano accettate (anche se non sempre pienamente capite) da tutti. Altrimenti, vi sarebbe il caos.

3358. L'anima è spesso ingentilita dai suoi sogni, confortata dalle sue speranze e intrattenuta dalle sue illusioni.

3359. C'è molta gentilezza nella propria malinconia.

3360. Il coraggio fisico può essere dissociato dal coraggio morale ed il contrario.

3361. Quando si parla più di una lingua, in genere la mente le usa una alla volta. Si pensa e ci si esprime in una lingua, ignorando le altre. Per questa ragione, si può esprimere un pensiero con stessa facilità in una lingua o in un'altra (qualche volta senza rendersi conto di quale lingua si stia usando). Non è altrettanto facile tradurre un pensiero da una lingua ad un'altra, perché nella stessa mente le lingue sono "parallele" e non interagiscono. Bisogna trovare attraverso uno sforzo cosciente nel vocabolario mentale le espressioni equivalenti nelle due lingue, piuttosto che usare quelle espressioni istintivamente come quando si parla solo una delle lingue. In altre parole, l'ideazione si serve delle parole di una lingua e la traduzione implica la ricerca di parole appropriate per esprimere lo stesso pensiero in un'altra lingua.

3362. Un cinico che si rispetti dovrebbe essere abbastanza coerente da essere scettico anche nei riguardi della validità del suo cinismo.

3357.   The essence of the obvious resides in the necessity that elementary and necessary matters should be accepted (even if not always fully understood) by everybody. Otherwise, there would be chaos.

3358.   The soul is often made gentler by its dreams, comforted by its hopes and entertained by its illusions.

3359.   There is much gentleness in one's melancholy.

3360.   Physical courage can be dissociated by the moral courage and the converse.

3361.   When one speaks more than one language, in general the mind uses them one at a time. One thinks and expresses himself in a given language, ignoring the others. For this reason, one can express a thought with the same facility in one language or in another (sometimes without realizing which language one uses). It is not equally easy to translate a thought from one language to another, because in the same mind the languages are "parallel" and do not interact. One needs to find through a conscious effort in the mental dictionary the equivalent expressions in the two languages, rather than using instinctively those expressions when speaking only one of the languages. In other words, ideation uses the words of one language and the translation involves the search for appropriate words to express the same thought in another language.

3362.   A self-respecting cynic should be sufficiently coherent to be skeptical also towards the validity of his own cynicism.

3363. Se vogliamo essere intrattenuti anche quando si deve imparare, vuol solo dire che non troviamo la verità nuda abbastanza stimolante. Forse, la nostra curiosità non ha la vivacità e irrequietezza necessarie, dal momento che è la nostra curiosità che rende piacevole l'imparare.

3364 Generalmente, si trova piacere nell'essere intrattenuti da una frase brillante (p. es., un paradosso), anche se non si impara nulla, o non vi è nulla da imparare o è del tutto sbagliata. Dopo tutto, abbiamo bisogno di essere intrattenuti come di essere istruiti. Persino a scuola ci sono le vacanze.

3365. L'affetto reciproco tra noi e il nostro cane o il nostro gatto ha il pregio di essere diretto, sincero, e non complicato dalle storture della mente. Forse perché gli animali hanno una mente più semplice e non hanno l'uso della parola.

3366. Una mente fresca è piena di sorprese. Se non giovane, è giovanile.

3367. La meschinità s'irrita d'essere l'oggetto dell'altrui generosità. Non vuol essere diminuita da quello che non vuol imitare.

3368. L'essere intrattenuti si oppone al grigiore delle abitudini. Introduce nuove e piacevoli prospettive, ma rende uno passivo.

3369. La "realtà" che si percepisce con i nostri sensi è solo una piccola frazione della realtà concepita dalla nostra mente.

3370. Come i pensieri possano scaturire dalle molecole del cervello è una delle più grandi meraviglie della Creazione.

3363.   If we want to be entertained also when we learn, it only means that we do not find the naked truth stimulating enough. Perhaps, our curiosity has not the necessary vivacity and restlessness, since it is our curiosity that makes learning pleasant.

3364.   Generally, we find pleasure in being entertained by a brilliant phrase (for example, a paradox), even if we do not learn anything, or there is nothing to learn or it is altogether wrong. After all, we need to be entertained as well as to be taught. Even in school there are vacations.

3365.   The reciprocal affection between us and our dog or our cat has the merit of being direct, sincere and not complicated by the twists of the mind. Perhaps, because animals have a simpler mind and do not have the power of speech.

3366.   A fresh mind is full of surprises. If not young, it is youthful.

3367.   Meanness is irritated by being the object of the generosity of others. It does not want to be diminished by what it does not want to imitate.

3368.   To be entertained opposes the grayness of habit. It introduces new and pleasant perspectives, but also it renders one passive.

3369.   The "reality" that we perceive by means of our senses is a small fraction of the reality conceived by the mind.

3370.   How thoughts may spring out of the molecules of the brain is one of the greatest marvels of Creation.

3371. Un pericolo per la generosità è quello di compiacersi di sentirsi generosi.

3372. Nei rapporti umani, la verità ha doveri ben precisi, che devono essere sotto la sorveglianza della carità. La carità domanda alla verità di tacere quello che (anche se vero) è inutilmente crudele.

3373. Tra i nostri rimpianti più durevoli, ci sono certo le occasioni mancate.

3374. Anche il silenzio può aver torto. Per esempio, il tacere per mancanza di coraggio.

3375. Per perseguire la popolarità, qualcuno ci rimette la fama.

3376. Quello che è solo diverso può intrattenere la mente anche se non la convince. Meraviglia, ma non seduce.

3377. Per una natura ardente, la freddezza è un torto disprezzabile.

3378. Nelle relazioni con i figli, i genitori dovrebbero ascoltare la sincerità del loro affetto, piuttosto che seguire le lusinghe del loro amor proprio. Si dovrebbero incoraggiare i figli a fare quello che noi riteniamo sia meglio per loro. Ma quello che fanno i figli (una volta sufficientemente cresciuti) dovrebbe riflettere le loro scelte, non i desideri o le ambizioni dei genitori.

3379. C'è chi "risolve" il mistero di Dio ignorandolo. Naturalmente, l'ignoranza non risolve nulla.

3371.   A danger for generosity is to be pleased of feeling generous.

3372.   In human relations, truth has precise duties that must be under the supervision of charity. Charity demands to the truth that it should not say what (even if true) is uselessly cruel.

3373.   Among our longer lasting regrets, there are certainly the missed opportunities.

3374.   Even silence may be wrong. For example, to keep silent for lack of courage.

3375.   To pursue popularity, some miss fame.

3376.   What is only different may entertain the mind even if it does not convince it. It surprises, but it does not seduce.

3377.   For an ardent nature, coldness is a despicable fault.

3378.   In their relation with their children, parents should listen to the sincerity of their affection, rather than follow the blandishments of their pride. We should encourage our children to do what we think is best for them. But (once sufficiently grown up) what the children do should reflect their choices, not the desires and the ambitions of their parents.

3379.   Some "solve" the mystery of God by ignoring him. Naturally, ignorance solves nothing.

3380. Quello che s'ignora (o si vuole ignorare) non cessa di esistere solo per le pretese della nostra ignoranza.

3381. La verità non è superiore all'amore.

3382. Se per caso crediamo che essere seri non sia "serio", è chiaro che ci si trova a nostro agio con la frivolezza.

3383. Nel nostro interesse, dovremmo permettere ai nostri pregiudizi di essere assaliti dai dubbi.

3384. Per conformarsi alla moda corrente, alcuni rinunciano agli obblighi verso se stessi, cioè all'indipendenza di giudizio e allo sviluppo della propria originalità.

3385. Le vere rivoluzioni sono solo quelle del pensiero. L'assenza di pensiero invece tende ad esprimersi nella controrivoluzione: si vuol conservare senza offrire valide alternative.

3386. Nella filosofia, la confusione dei "grandi" incoraggia e giustifica quella dei piccoli.

3387. In una folla si perde la nostra identità individuale. Si diventa una delle molecole di un'entità che ha caratteristiche proprie e diverse dalle nostre e che ci dispensa dalla nostra responsabilità individuale. Per esempio, la folla può avere una violenza e crudeltà che sarebbero inconcepibili nei singoli individui.

3388. Se si comprende correttamente, non si ha scelta. Non ci sono verità alternative, facoltative o arbitrarie. Né ha importanza se le verità ci sono simpatiche o antipatiche.

3380. What we ignore (or want to ignore) does not cease existing just because of the pretensions of our ignorance.

3381. Truth is not superior to love.

3382. If, by chance, we believe that being serious is not "serious", it is apparent that we feel at ease with our frivolity.

3383. In our interest, we should allow our prejudices to be beset with doubts.

3384. To conform to the current fashion, some renounce to the obligations toward themselves, that is, to independence of judgment and to the development of one's originality.

3385. The real revolutions are only those of thought. Instead, the lack of thought tends to express itself in the counter-revolutions: one wants to conserve without offering alternatives.

3386. In philosophy, the confusion of the "great" encourages and justifies that of the small.

3387. In a crowd, we lose our individual identity. We become one of the molecules of an entity that has its own characteristics different from ours and that dispense us from our individual responsibility. For example, the crowd can have a violence and cruelty that would be inconceivable in an individual.

3388. If one understands correctly, there is no choice. There are no alternative, optional or arbitrary truths. Neither does it matter if the truths are likeable or unlikable to us.

3389.   I torrenti più rischiosi sono quelli delle parole: si rischia di affogare nei vortici di incoerenze che spesso non si provano neanche a tirare delle (impossibili) conclusioni.

3390.   Non dire quello che si pensa qualche volta è un diritto e altre volte un dovere. O per lo meno, una cosa sensata.

3391.   Le polemiche sono scontri di convinzioni personali, che non sono cambiate da qualsiasi cosa venga detta, anche perché gli scontri non sono circa le convinzioni, ma circa gli interessi associati a quelle. Se per caso gli interessi vengono a coincidere, la polemica collassa.

3392.   Le lodi possono (e forse dovrebbero) essere apprezzate tanto più quanto meno sono meritate.

3393.   Per essere giustificata, la durezza dovrebbe perseguire fini meritevoli. O essere nell'interesse di che ne è l'oggetto.

3394.   La bontà è giustificata da finezza di sentimenti, ma non da debolezza di carattere.

3395.   Se si crede in Dio, non bisogna immaginarsi che gli facciamo un favore.

3396.   Verso Dio, abbiamo soprattutto il dovere di realizzare noi stessi: non è quello che vorrebbe un padre?

3397.   Alcuni confondono il coraggio con l'arroganza. Altri confondono la paura con la timidezza.

3389.   The most risky torrents are those of the words: one risks to drown in the vortices of an incoherence that often does not even try to draw (impossible) conclusions.

3390.   Not to say what we think, sometimes is a right and at other times a duty. Or at least, a sensible thing.

3391.   Bitter controversies are clashes of personal convictions that are not changed by whatever is said, also because the clashes are not about convictions but about their interests associated with them. If by chance the interests become convergent, the controversy collapses.

3392.   Praise may (and perhaps should) be appreciated all the more the less it is deserved.

3393.   To be justified, hardness should pursue meritorious aims. Or be in the interest of the object of it.

3394.   Good-heartedness is justified by finesse of feelings, but not by weakness of character.

3395.   If we believe in God, we should not imagine that we do him a favor.

3396.   Toward God, we have the duty of realizing ourselves: is it not what a father would want?

3397.   Some confuse courage with arrogance. Others confuse fear with timidity.

3398. Non dire quello che si pensa può essere il risultato di cause diverse, come discrezione, ipocrisia, bontà, viltà, diplomazia, doppiezza, sensibilità, tatto, considerazione, ecc.

3399. La memoria è come un archivio che fornisce dati che la mente integra e analizza. Di qui l'importanza di avere una buona memoria e di saper sintetizzare i dati disponibili.

3400. Se si dormisse di più, si direbbero meno sciocchezze e saremmo più riposati.

3401. Se si "aboliscono" i peccati, si abolisce allo stesso tempo la possibilità della purezza di cuore.

3402. Per una stortura della prospettiva morale, alcuni considerano i propri vizi "eccitanti" e si vergognano delle proprie virtù.

3403. La nostra stupidità ci diffama.

3404. Gli opposti non si amano, ma l'uno non può fare a meno dell'altro per poter sopravvivere. Il divorzio degli opposti non è permesso, pena la morte di tutti e due.

3405. Il disprezzo degli stolti non offende.

3406. La colpa della bruttezza è di non far sognare.

3407. Come per una luce troppo forte, l'estrema lucidità (dissociata dalle emozioni) è allucinante e persino allucinogena.

3398.   Not to say what we think may be the result of different reasons, like discretion, hypocrisy, good-heartedness, cowardice, diplomacy, duplicity, sensibility, tact, consideration, etc.

3399.   Memory is like an archive that provides the data that the mind analyzes and integrates. Hence, the importance of having a good memory and of being able to synthesize the data available.

3400.   If we slept more, we would talk nonsense less and we would be more rested.

3401.   If sins are "abolished", one abolishes at the same time the possibility of the pureness of heart.

3402.   By a distortion of moral perspective, some consider their own vices "exciting" and feel ashamed about their own virtues.

3403   Our stupidity defames us.

3404   The opposites do not love each other, but, in order to survive, the one can not do without the other. Divorce of opposites is not allowed, under pain of death for both.

3405.   The contempt of fools does not offend.

3406.   The fault of ugliness is not to make one dream.

3407.   As for a too strong light, extreme lucidity (dissociated from emotions) is hallucinating and even hallucinogenic.

3408. Analizzarsi ogni tanto può essere uno sport non privo di pericoli. Porta a nuove vedute, ma non tutte necessariamente piacevoli, specialmente se la nostra sincerità non ha tatto.

3409 Una frase che sia solo concisa non diventa un aforisma, come non lo diventa una verità prolissa.

3410. Si dice "Buona notte" sperando che il sonno non si metta a contare le tazzine di caffè che si sono bevute durante il giorno.

3411. La creatività è come una sorgente di montagna. Nuove realtà sgorgano da strati profondi che filtrano sensazioni e riflessioni, separandole dalle scorie.

3412. L'intellettualismo non impedisce di innamorarsi. Al contrario, l'amore può essere travolgente per essere così differente dalle precedenti soppresse emozioni. Ma, invece di vivere l'amore con intenso abbandono, l'intellettualismo lo sciupa analizzandolo, esasperandolo, distorcendolo e ragionandoci sopra. Lo confronta con il concetto intellettuale di amore.

3413. Per sua natura, un paradosso non può che essere paradossale.

3414. Ci si può affezionare alla propria confusione, perché (senza rendercene conto) può essere un sostituto personale della fantasia, immaginazione e ideazione.

3408. To analyze oneself once in a while may be a sport not devoid of dangers. It leads to new vistas, but not all of them necessarily pleasant, especially if our sincerity has no tact.

3409. A sentence that is only concise does not become an aphorism as it does not a prolix truth.

3410. One says "Good night" hoping that sleep does not engage in counting the cups of coffee that we have drunk during the day.

3411. Creativity is like a mountain spring. New realities spurt out of deep layers that filter sensations and reflections, separating them from waste.

3412. Intellectualism does not prevent falling in love. On the contrary, love can be overwhelming by being so different from the preceding suppressed emotions. But, instead of living love with intense abandon, intellectualism spoils it by analyzing, exasperating, distorting and reasoning about it. It confronts it with the intellectual concept of love.

3413. By its nature, a paradox can not be but paradoxical.

3414. One can grow fond of one's own confusion, because (without realizing it) it can be a personal substitute for fantasy, imagination and ideation.

3415. Gli aforismi possono essere una branca della filosofia, piuttosto che della letteratura. La letteratura è una forma d'arte e pertanto il suo scopo è la ricerca della bellezza, non della verità. Ma anche un aforisma può esprimere la bellezza che vi è nella verità.

3416. Nello sperimentare del presente, c'è (e ci deve essere) un posto per tutto e per tutti. A questo riguardo, il passato è inattivo perché i suoi inquilini riposano nei cimiteri.

3417. Nell'essere generosi, si è generosi prima di tutto con se stessi per il piacere che dà: chi si rallegrerebbe di sentirsi meschino? Beh, forse, un vero meschino.

3418. L'acutezza consiste nel saper vedere anche negli strati più profondi della realtà e la comprensione nel saper vedere le loro relazioni.

3419. La vastità e complessità della realtà è funzione di quelle di ciascuna mente.

3420. L'aforisma dovrebbe dire la verità, tutta la verità e nient'altro che la verità, ma deve farlo in maniera concisa ed incisiva così da convincere la mente e paralizzare le "difese" dei sofismi.

3421. Nell'amore, si mescolano felicità e sofferenze, perché non c'è indifferenza e freddezza.

3415.   Aphorisms may be a branch of philosophy, rather than of literature. Literature is a form of art and therefore its aim is the search for beauty, not for truth. But also an aphorism can express the beauty that there is in truth.

3416.   In the experimenting of the present, there is (and there must be) a place for everything and everyone. In this regard, the past is inactive, since its tenants rest in the cemeteries.

3417.   In being generous, one is generous first of all with oneself for the pleasure that it gives to one: who would rejoice at feeling mean? Well, perhaps a truly mean person.

3418.   Sharpness consists in being able to see also into the deeper layers of reality, and comprehension in being able to see their relations.

3419.   The vastness and complexity of reality is a function of those of each mind.

3420.   An aphorism should state the truth, all the truth and nothing but the truth, but it has to do that in a concise and incisive way as to convince the mind and paralyze the "defenses" of sophisms.

3421.   In love, happiness and sorrows are intermixed, because there is no indifference and no coldness.

3422. Indubbiamente, le affermazioni confuse sono nuove e differenti, perché riflettono la confusione personale di ciascuno di noi. Per questo, le nostre affermazioni (essendo nostre e diverse) ci sembrano attraenti e originali, talvolta proprio per la loro mancanza di chiarezza.

3423. Poiché l'arte cerca la bellezza e non la verità, per i suoi successi, basta la verosimiglianza; e per i suoi fallimenti, quello che non commuove. Cioè, la bruttezza.

3424. Una verità che necessita una dettagliata spiegazione non diventerà un aforisma come non lo diventa una sciocchezza concisa.

3425. Se fosse facile essere bravi, lo sarebbero tutti. Ma non è difficile sentirsi bravi: lo fanno quasi tutti.

3426. Se si fosse sempre monotonamente allegri, si direbbe: "Ogni tanto, ridatemi il sottile grigiore della mia malinconia".

3427. La ribellione è un tratto mentale più che la reazione ad un'ingiustizia. Infatti, c'è chi si ribella anche alla giustizia.

3428. Rispetto alle soluzioni della natura, le nostre sono basate su vedute parziali e ristrette. Per questa ragione, non durano. Le teorie possono essere giustificate dal correggere errori intollerabili, ma generalmente ne fanno altri differenti.

3429. Le nostre virtù sono messe a rischio dalla convenienza dei nostri interessi. Qualche volta non si risentono, o chiudono un occhio.

3422. Undoubtedly, confused assertions are new and different, because they reflect the personal confusion of each of us. For this reason, our assertions (being ours and different) seem to us attractive and original, sometimes precisely for their lack of clarity.

3423. Since art seeks beauty and not the truth, for its success, likelihood is enough; and for its failures, that which does not move. That is, ugliness.

3424. A truth that needs a detailed explanation will not become an aphorism and a concise nonsense does not become so either.

3425. If it were easy to be "bravo", everyone would be so. But it is not difficult to feel "bravo": almost everybody does that.

3426. If one were always monotonously cheerful, one would say: "Once in a while, give me back the subtle grayness of my melancholy".

3427. Rebellion is a mental tract more than the reaction to an injustice. In fact, there are those who rebel also against justice.

3428. In comparison to the solutions of nature, ours are based on partial and narrow views. For this reason, they do not last. Theories may be justified by the correction of unbearable errors, but they usually make different ones.

3429. Our virtues are exposed to risk by the convenience of our interests. Sometimes they do not resent it, or they turn a blind eye.

3430. Non avere interessi non è fisiologico, ma spetta a noi saper scegliere quelli più interessanti. Cioè, quelli che vale la pena di perseguire non per interesse, ma per soddisfazione.

3431. L'Universo è il giardino di Dio. Basta considerare la straordinaria bellezza di una notte stellata inondata dal soffice splendore della luce lunare.

3432. Ogni nuova idea può portare col passare del tempo al conformismo per mancanza di nuovi talenti. È quanto successe per secoli ad Aristotele ("Ipse dixit").

3433. Avanzando lentamente con la debole luce della lanterna della sua curiosità, la natura umana tenta di rischiarare i grandi misteri della notte della nostra ignoranza. Invece, suscita solo ombre incerte, qualche volta paurose.

3434. L'immaginazione non solo allarga la nostra realtà oltre le percezioni dal mondo fisico, ma potentemente contribuisce a plasmare l'individualità di ciascuna persona.

3435. C'è sempre qualcuno che si ribella contro il "sistema", anche se non sa esattamente quello che vuole o che dovrebbe volere. Nel fare così, contribuisce indirettamente ad evitare il ristagno.

3436. La capacità di meravigliarsi richiede che si coltivi una profonda semplicità di cuore.

3437. La varietà impone che ogni cosa sia distribuita su una gamma di valori che va da un estremo all'altro secondo le leggi della statistica.

3430.   Not to have interests is not physiological, but it is up to us to choose those which are more interesting. That is, those that are worth pursuing not for interest, but for satisfaction.

3431.   The Universe is the garden of God. It suffices to consider the stunning beauty in a starry night immersed in the soft splendor of the moonlight.

3432.   Each new idea with the passing of time may lead to conformism for lack of new talents. It is what happened for centuries to Aristotle ("Ipse dixit").

3433.   Slowly advancing with the feeble light of the lantern of its curiosity, human nature tries to clarify the great mysteries of our ignorance. Instead, it rouses only uncertain, sometimes fearful, shadows.

3434.   Imagination not only enlarges our reality beyond the perceptions from the physical world, but powerfully contributes to shape the individuality of each person.

3435.   There is always someone who rebels against the system, even if he does not know exactly what he wants or what he should be wanting. In doing so, one indirectly contributes to avoid stagnation.

3436.   The capacity of marveling demands that we cultivate a deep simplicity of heart.

3437.   Variety imposes that matters be distributed along a range of values that goes from one extreme to the other according to statistical laws.

3438.   Se un filosofo fa della letteratura, vuol dire che vuol sedurre piuttosto che convincere. A meno che non abbia l'arte di Platone. In tal caso, convince seducendo.

3439.   In genere, un aforisma non intende fare dell'umorismo, ma qualche volta vi si discernono correnti sotterranee di ironia.

3440.   L'ironia trova divertente la pseudo-serietà. Ma la pseudo-serietà trova l'ironia scomoda, irritante, fuor di posto e di cattivo gusto.

3441.   Nulla può essere più vero della verità. Non lo spirito, le facezie, la futilità, il brio, l'umorismo, l'eccentricità, ecc., anche se la loro piacevolezza diverte (o può divertire).

3442.   Le autobiografie completamente e assolutamente sincere sarebbero un suicidio, o almeno auto-diffamazione. Invece, più modestamente, le autobiografie cercano soltanto un successo letterario, rese pepate dall'inclusione prudente di un po' di pettegolezzo piccante.

3443.   Se fosse facile dire la verità su noi stessi, la confessione non sarebbe pesante e non avrebbe bisogno di essere segreta. Le confessioni letterarie tendono ad essere assai più reticenti.

3444.   L'arte crea le sue realtà e la loro "verità".

3445.   Un aforisma che non è vero è solo un errore concettuale. O una stravaganza della fantasticheria.

3446.   È vero che si dimentica, ma fortunatamente anche quello che non merita di ricordare.

3438. If a philosopher wants to write literature, it means that he wants to seduce rather than convince. Unless he has the art of Plato. In such a case, he convinces while seducing.

3439. An aphorism is not meant to be humorous, but sometimes one discerns in it underground currents of irony.

3440. Irony finds pseudo-seriousness amusing. But pseudo-seriousness finds irony inconvenient, irritating, out of place and in bad taste.

3441. Nothing can be more truthful than truth. Not wit, jests, futility, verve, humor, eccentricity, etc., even if their pleasantness amuses (or may amuse).

3442. Completely and absolutely sincere autobiographies would be a suicide, or at least self-defamation. Instead, more modestly, the autobiographies only seek literary success, made peppery by the prudent inclusion of a little spicy gossip.

3443. If it were easy to say the truth about ourselves, confession would not be heavy and would not need to be secret. Literary confessions tend to be rather more reticent.

3444. Art creates its realities and their "truth".

3445. An aphorism that is not true is only a conceptual error. Or a vagary of fancy.

3446. It is true that we forget, but, fortunately, also what is not worthwhile to remember.

3447. Se si crede che l'originalità sia fatta di stranezze, probabilmente si manca d'originalità.

3448. Un aforisma volgare è solo quello.

3649. Per aver successo, la tenacia necessita la compagnia di molte altre buone qualità. Da sola, può essere simile ad un'ottusa testardaggine.

3450. Il non voler invecchiare è futile e, se non si sta attenti, ridicolo.

3451. I sogni devono essere deliziosi e non disciplinati, interessanti ma non interessati.

3452. La vita ha il significato che le diamo, un significato che cambia man mano che si cambia.

3453. "Dio è morto": se lo dice Nietzsche.... Fortunatamente, c'è pur sempre Dionisio....Per lo meno (non essendo mai nato), quel dio lì non è morto. Anche se spesso può essere ubriaco.

3454. Per essere rozzi, non è necessaria nessuna qualità speciale. Ma per essere compiutamente rozzi, è necessario che la mancanza di qualità non abbia eccezioni.

3455. L'ironia deve rivolgersi solo alle cose negative e non diventare un sarcasmo senza finezza, buon gusto e distinzione.

3456. La verecondia della sfacciataggine: quando ha un breve momento di esitazione.

3447.   If one believes that originality is made of oddities, probably one lacks originality.

3448.   A vulgar aphorism is only that.

3449.   To be successful, tenacity necessitates the company of several other good qualities. Alone, it may be similar to a dull stubbornness.

3450.   Not wanting to age is futile and, if we are not careful, ridiculous.

3451.   Dreams must be delightful and not disciplined, interesting but not interested.

3452.   Life has the meaning that we give to it, a meaning that changes as we change.

3453.   "God is dead": if Nietzsche says so.... Fortunately, there is still Dyonisius.... At least (not ever having been born) that god is not dead. Even if it might often be drunk.

3454   To be coarse, no special qualities are required. But to be duly coarse, it is necessary that the lack of qualitiy should not have any exception.

3455.   Irony must address itself only to what is negative and not become sarcasm without any subtlety, good taste, and distinction.

3456.   The bashfulness of effrontery: when it has a brief moment of hesitation.

3457. In taluni, la gratitudine verso l'altrui generosità sembra esprimersi solo nel desiderio di approfittarne. La loro meschinità non la considera generosità, ma stupidità.

3458. Nella stanchezza "scopriamo" i melanconici limiti della nostra debolezza.

3459. Invano cercheremmo nel grigiore della routine il trasporto delle nostre aspirazioni e l'abbandono dei nostri sogni.

3460. La pietà e ancor più la carità possono variare in proporzione inversa sia alla grande ricchezza che all'estrema povertà.

3461. Per ricevere lodi sperticate e solo quelle (persino da chi non ci può soffrire), bisogna aspettare la propria eulogia. Peccato che a non sentirla sia solo l'interessato.

3462. La necessità di una grande varietà tra differenti persone richiede che ciascuno di noi dica e faccia molte cose sbagliate.

3463. Qualcuno è ricordato per l'enormità delle sciocchezze che ha scritto.

3464. È divertente vedere quello che un cretino considera stupido.

3465. Il fatto che la corteccia cerebrale sia lo strato più superficiale del cervello potrebbe spiegare perché nella vita di ciascuno i pensieri giochino una parte meno profonda delle emozioni.

3457.   In some, the gratitude toward the generosity of others seems to express itself only in the desire to take undue advantage of it. Their meanness does not consider it generosity, but stupidity.

3458.   In tiredness we "find" the melancholic limits of our weakness.

3459.   In vain we would seek in the grayness of routine the transport of our aspirations and the abandon of our dream.

3460.   Mercy and even more charity may vary in inverse proportion with either great wealth or extreme poverty.

3461.   To receive exaggerated praise and only that (even from those who can not endure us), one has to wait for one's own eulogy. Pity that the interested party is the only one who does hear it.

3462.   The necessity of a great variety among different people requires that each of us should say and do many wrong things.

3463.   Some people are remembered because of the enormity of the nonsense that they wrote.

3464.   It is amusing to see what a fool considers stupid.

3465.   The fact that the cerebral cortex is the most superficial layer of the brain could explain why in the life of everyone thoughts play a less deep part than emotions.

3466. La solitudine è favorita dall'assenza di contatti con menti che abbiano interessi mentali ed emotivi simili a quelli della nostra.

3467. Quando si parla al vento, per lo meno si può ascoltare la risposta del dolce mormorio delle foglie.

3468. I ricordi degli altri interessano quando sono condivisi, o intrattengono o vi si impara qualcosa.

3469. Qualcuno parla con disinvoltura e sicurezza, come se tale atteggiamento fosse giustificato da quello che dice.

3470. Ci si tollera l'un l'altro con civiltà più spesso di quanto ci s'intrattenga con piacevolezza.

3471. Un grande oratore parla agli interessi che vuole che la folla abbia, eccitandone le emozioni.

3472. La morte è l'addio finale e senza ritorno alla terra da parte del nostro spirito. Ma la morte restituisce alla terra il nostro corpo (il "vuoto") per il riciclaggio delle sue molecole.

3473. Un sensibile senso dell'umorismo ci fa ridere solo per quello che è effettivamente divertente e faceto.

3474. Una verità trita e disadorna può aver lo stesso sapore insipido di un'insalata senza condimento.

3475. Se non s'impara da quello che si legge, tanto varrebbe non leggerlo.

3466.   Solitude is fostered by the absence of contact with minds that have intellectual and emotional interests similar to those of ours.

3467.   When we speak to the wind, at least we can listen to the answer of the sweet rustle of leaves.

3468.   The remembrances of others interest us when they are shared, or they entertain us or we learn something from them.

3469.   Some speak with self-assurance and confidence, as if such an attitude were justified by what they are saying.

3470.   We bear each other with civility more often than we entertain each other with pleasantness.

3471.   A great orator speaks to the interests that he wants the crowd to have, exciting its emotions.

3472.   Death is the final farewell without return to this earth on the part of our spirit. But death returns to the earth our body (the "empty") for the recycling of its molecules.

3473.   A sensible sense of humor make us laugh only for what is in fact funny and witty.

3474.   A trite plain truth may have the same insipid taste of a salad without dressing.

3475.   If we do not learn from what we read, we could as well not read.

3476. Quello che uno scrive comincia a vivere solo se merita di essere letto da chi è capace di apprezzarlo.

3477. Se non siamo gelosi di loro, alcuni ci rimangono male. Se lo siamo, se ne risentono.

3478. Per essere umili, non solo bisogna avere dei meriti, ma anche rendersene conto. Altrimenti, si può solo essere modesti di natura.

3479. Le delusioni del pettegolezzo: quando i sospetti peggiori si rivelano infondati. Erano così stimolanti...

3480. La nostra intimità ci definisce, ma solo a noi stessi.

3481. Si può essere "onesti" per calcolo, cioè, solo quando è conveniente esserlo oppure non lo si può evitare.

3482. Un vizio potrebbe essere definito come un impulso di cui non si ha controllo. Se lo si controlla, cessa di essere un vizio per diventare soltanto un desiderio colpevole.

3483. La confusione è raramente succinta, perché non le riesce facile spiegare quello che non capisce.

3484. Per la riproduzione, l'amore non è strettamente necessario, ma per la famiglia e per allevare i figli sì.

3485. Chi siamo noi per considerare più importante quello che si dice che quello che è vero?

3476. What one writes begins to live only when it deserves to be read by someone who is capable of appreciating it.

3477. If we are not jealous of them, some feel bad about it. If we are jealous, they resent it.

3478. To be humble, not only one has to have merits, but also to be aware of them. Otherwise, one can just be modest by nature.

3479. The disillusions of gossip: when the worst suspicions prove to be without foundation. They were so stimulating...

3480. Our intimacy defines us, but only to ourselves.

3481. One can be "honest" out of self-interest, that is, only when it is convenient to be so or it can not be avoided.

3482. A vice could be defined as a drive of which we have no control. If we succeed in controlling it, it ceases to be a vice to become a guilty desire.

3483. Confusion is rarely succinct, because it does not succeed easily in explaining what it does not understand.

3484. For reproduction, love is not strictly needed, but for the family and the upbringing of children it is.

3485. Who are we to consider more important what we say than what is true?

3486.   Un aforisma cerca la verità che vi è nelle regole, mentre invece un paradosso cerca la verità che vi è nelle eccezioni.

3487.   La scienza non solo permette al ricercatore di dire sempre la verità, ma ve lo obbliga. Se vi sono non-verità, uno o non è un ricercatore provetto o ha commesso uno sbaglio involontario.

3488.   La nostra sensibilità domanda che quello che è vero si debba inchinare con grazia a quello che è veramente bello.

3489.   Le contraddizioni reali sono dovute alla comprensione parziale di chi scrive e quelle apparenti alla comprensione parziale di chi legge.

3490.   Il sentimentalismo è come il miele: troppo dolce e appiccicoso.

3491.   Invece di essere consumato dall'ambizione, uno bisognerebbe che la consumasse nelle sue realizzazioni.

3492.   Non raramente la tenacia deve ignorare il "senso comune" se non vuole perdersi nell'irrilevanza di dubbi ragionevoli.

3493.   La vecchiaia comincia quando, nella nostra mente, il futuro finisce.

3494.   Talvolta si odia perché si ama, ma il suo contrario non si verifica mai.

3486.   An aphorism seeks the truth that there is in the rules whereas the paradox seeks the truth that there is in the exceptions.

3487.   Science not only permits the researcher to state always the truth, but it obligates him to do so. If there are non-truths, either one is not an expert scientist or one has made an inadvertent mistake.

3488.   Our sensibility demands that what is true must gracefully bow to what is truly beautiful.

3489.   The real contradictions are due to the partial comprehension of the writer and the apparent ones to the partial comprehension of the reader.

3490.   Sentimentalism is like honey: too sweet and sticky.

3491.   Instead of being consumed by ambition, one should consume it in one's realizations.

3492.   Not rarely, tenacity has to ignore "common sense" if it does not want to become lost in the irrelevance of reasonable doubts.

3493.   Old age begins when, in our mind, the future ends.

3494.   Sometimes, one hates because one loves, but the converse never occurs.

3495. Le cose sono rese ovvie dalla loro necessità. Pertanto, le cose astruse, confuse o eccentriche non sono ovvie, perché non sono necessarie (se non come categorie). Un pregio delle cose ovvie consiste nell'essere apprezzato dall'abitudine nell'espletare le attività di routine.

3496. L'idea di essere rivoluzionario piace all'intelletto. Il problema è di ribellarsi con qualcosa di nuovo e di migliore (e non semplicemente essere confusionario per irrequietezza, indisciplina o esibizionismo).

3497. È difficile definire la libertà per un filosofo, ma non per uno che è in prigione da anni.

3498. Quando si hanno troppe scelte, paradossalmente diventa più difficile prendere una decisione.

3499. La funzione delle eccezioni è di impedire non le regole, ma la loro arteriosclerosi, ovverosia la loro rigidità.

3500. Se il senso comune fosse qualcosa di speciale, non sarebbe comune.

3501. L'inconfessata ambizione delle eccezioni è di diventare regole.

3502. Se non si sogna nel chiarore silenzioso di una notte di luna che si riflette sulla lucida superficie del mare, la delicatezza della nostra sensibilità non ci ama più.

3495.   Things are made obvious by their necessity. Therefore, abstruse, confused or eccentric things are not obvious, because they are not necessary (if not as categories). A merit of obvious things is to be appreciated by habit in carrying out the routine chores.

3496.   The idea of being revolutionary appeals to the intellect. The problem is to rebel with something new and better (and not merely to be blundering due to restlessness, indiscipline or exhibitionism).

3497.   It is difficult to define freedom for a philosopher, but not for someone who has been in prison for years.

3498.   When one has too many choices, paradoxically it becomes more difficult to take a decision.

3499.   The function of exceptions is to impede not the rules, but their arteriosclerosis, that is, their rigidity.

3500.   If common sense were something special, it would not be common.

3501.   The unconfessed ambition of exceptions is to become rules.

3502.   If we do not dream in the silent glimmer of moonlight that reflects itself on the lucid surface of the sea, the delicateness of our sensibility does not love us any longer.

3503. Per distinguersi, è necessario che l'ambizione non sia più piccola dei propri meriti.

3504. L'arte ha le sue creazioni, la politica le sue manovre, la filosofia le sue speculazioni, la religione la sua fede e la scienza la verità (...ma anche le sue ipotesi).

3505. Nella biologia, si possono "creare" solo cloni, cioè copie. Nell'arte non varrebbero niente e nella scienza possono essere pericolosi.

3506. S'invidiano i meriti altrui che sono un po' meglio dei nostri e si ammirano quelli che sono di gran lunga superiori. Questo succede perché si può competere solo nella categoria di merito a cui immaginiamo di appartenere.

3507. È misterioso tutto quello che non si conosce e che si vorrebbe conoscere. Come i segreti della natura, delle scienze o dell'anima.

3508. La nostra vanità è tenuta sotto controllo da quelle delle nostre deficienze che non riesce a ignorare.

3509. Senza speranze, un presente difficile diventa insopportabile perché il futuro diventa impossibile.

3510. Ci sono tante specie di pasta e ancora di più di salse. Similmente, lo stesso argomento si presta ad essere servito in maniere diverse e con "salse" differenti. Pertanto, con differente sapore che è apprezzato dal gusto di persone differenti.

3503.   To distinguish oneself, it is necessary that one's ambition should not be smaller than one's merit.

3504.   Art has its creations, politics its maneuvers, philosophy its speculations, religion its faith and science the truth (...but also its hypotheses).

3505.   In biology, one can "create" only clones, that is copies. In art, they would be worthless and in science they can be dangerous.

3506.   We envy the merits of others that are a little better than ours and we admire those that are by far superior. This happens because we can compete only in the category of merit to which we imagine that we belong.

3507.   Mysterious is all that we do not know and that we would like to know. Like the secrets of nature, of sciences or of the soul.

3508.   Our vanity is kept in check by those of our deficiencies that it can not manage to ignore.

3509.   Without hopes, a difficult present becomes unbearable, because the future becomes impossible.

3510.   There are many kinds of pasta and even more of sauces. Similarly, the same subject matter lends itself to be served in different ways and with different "sauces". Therefore, with a different flavor that is appreciated by the taste of different people.

3511.   Talvolta, gli equivoci involontariamente risultano in sorprese imbarazzanti e rivelatrici. Rivelano quello che si pensava.

3512.   Se e quanto una pietanza sia buona dipende in gran parte dal gusto di chi la mangia. Così è anche per le cose della mente. Con tutto questo, il gusto può essere educato o educabile.

3513.   Quello che uno scrittore esprime interessa lui e i lettori che hanno interessi simili.

3514.   Troviamo complicato quello che è difficile, e ovvio quello che è semplice. Ma quello che è complicato o ovvio è differente per persone differenti.

3515.   Il paradosso può essere una maniera acuta di vedere le implicazioni assurde (e non così assurde) di una verità convenzionale. Tuttavia, non è generalmente idoneo a sostituire le verità convenzionali.

3516.   La tenerezza è l'affetto che si prova per quello che è delicato.

3517.   Nella rabbia, si sguinzaglia la furia ringhiosa della bestia che camminava avanti e indietro, prigioniera irrequieta nella gabbia del ritegno.

3518.   In situazione diverse, si mostrano lati diversi (e anche contraddittori) del nostro Io intimo. Si può farlo di proposito, o senza accorgersene o per aver perso il proprio controllo.

3511.   Sometimes, equivocations involuntarily result in embarrassing and revealing surprises. They reveal what we were thinking.

3512.   If and how much a dish is tasty depends largely on the taste of the person eating it. It is likewise for the things of the mind. Nevertheless, taste can be educated or educable.

3513.   What a writer expresses interests him and the readers that have similar interests.

3514.   We find complicated what is difficult and obvious what is simple. But what is complicated or obvious are different for different people.

3515.   A paradox may be a sharp way to see the absurd (and not so absurd) implications of a conventional truth. Nevertheless, it is usually unsuited for substituting conventional truths.

3516.   Tenderness is the affection that we feel toward what is delicate.

3517.   In wrath, we unleash the snarling fury of the beast that was pacing up and down, restless prisoner in the cage of our restraint.

3518.   In different situations, we show different (and even contradictory) aspects of our inner Self. We do that either on purpose, or without realizing it or for having lost our self-control.

3519. Il nostro viaggio sulla terra è una straordinaria avventura che l'amore fa sorgere dal nulla per continuare nelle volute dell'eternità.

3520. Se è vero che la poesia ha una sua realtà, è anche vero che la realtà ha la sua poesia che la sensibilità apprezza.

3521. Innocenza esteriore: tanti desideri illeciti si agitano nelle caverne segrete dell'Io senza essere realizzati. La ragione per cui non sono realizzati qualche volta è la virtù.

3522. La coerenza può risultare solo dalla nostra incapacità di migliorarci. Con fermezza, si persiste nell'irrilevante.

3523. Succede anche che i peccati più gravi siano quelli che avremmo voluto commettere se fossimo stati al cento per cento sicuri dell'impunità.

3524. Chissà perché se si scrive qualcosa che è cattivo, siamo realisti; e se si scrive qualcosa che è buono, siamo sentimentali.

3525. Se ci privassero di tutti i nostri peccati, ci sentiremmo derubati di tanti ricordi a cui siamo affezionati.

3526. L'arroganza è una forma di smoderata valutazione soggettiva di se stessi che ci irrita solo quando noi stessi non riusciamo a credervi.

3527. Se la coerenza deve essere tenace per rimanere coerente, la tenacia deve essere coerente per rimanere tenace.

3528. La speranza infonde coraggio.

3519.   Our journey on the earth is an extraordinary adventure that love causes to spring from nothingness to continue in the swirls of eternity.

3520.   If it is true that poetry has its own reality, it is also true that reality has its own poetry that sensibility appreciates.

3521.   Outer innocence: many illicit desires agitate in the secret caves of the Self without being realized. The reason why they are not realized sometimes is virtue.

3522.   Coherence may result only from our inability of improving ourselves. Steadfastly, we persist in the irrelevant.

3523.   It also happens that the most grievous sins are those which we would have liked to commit if we had been one hundred per cent sure of impunity.

3524.   Goodness knows why if one writes something that is bad, one is realist; and if one writes something that is good, one is sentimental.

3525.   If they were to deprive us of all our sins, we would feel robbed of remembrances of which we are fond.

3526.   Arrogance is a form of subjective immoderate self-evaluation that irritates us only when we ourselves can not manage to believe in it.

3527.   If coherence has to be tenacious to remain coherent, tenacity has to be coherent to remain tenacious.

3528.   Hope infuses courage.

3529. Essere deboli non richiede sforzo, ma sfortunatamente non ci si approva.

3530. Ognuno è pazzo alla sua maniera, per quanto uno possa essere lucido.

3531. L'irrequietezza porta a voler cambiare (per esempio, il lavoro o la residenza). Solo dopo aver cambiato, ci si rende conto dei lati negativi della nuova situazione. Il fatto è che (dovunque si vada) ci si porta dietro la nostra irrequietezza.

3532. I migliori pensieri brevi sono quelli che esprimono verità lunghe.

3533. Quello che piacevolmente sorprende una mente dipende soprattutto dalla struttura e atteggiamento di quella mente (in quel momento).

3534. In mancanza di bellezza, bisognerà accontentarsi della stranezza.

3535. Fasce di colori sfumati possono essere sufficienti a creare un tema. Per esempio, quello di un tramonto.

3536. Non è così arduo lamentarsi quando non vi è nessuna ragione obiettiva di farlo. Basta non capirlo.

3537. Prima ci allontaniamo da Dio e poi la conseguente incertezza della nostra solitudine ci fa lamentare che Dio ci ha abbandonato.

3529.   To be weak does not require effort, but, unfortunately, we do not approve ourselves.

3530.   Everyone is crazy in one's own way, no matter how lucid one might be.

3531.   Restlessness pushes one to change (for example, one's job or residence). Only after the change, one becomes aware of the negative aspects of the new situation. The fact is that (wherever we go) we take with us our restlessness.

3532.   The best brief thoughts are those that express long truths.

3533.   What pleasantly surprises a mind depends most of all on the structure and attitude of that mind (at that moment).

3534.   For lack of beauty, one has to make strangeness do.

3535.   Strips of shaded colors may be sufficient to create a theme. For example, that of a sunset.

3536.   It is not so arduous to complain when one has no objective reasons to do so. It is sufficient not to understand that.

3537.   First, we get away from God and then the consequent uncertainty of our solitude makes us complain that God has forsaken us.

3538. Nella loro accezione migliore, ambizione e invidia sono strumenti potenti che la natura usa per stimolare il necessario spirito competitivo.

3539. Si approva quello che ci piace. Per esempio, a chi piace imparare e a chi insegnare. E a tutti piace divertirsi.

3540. Le differenze individuali riflettono anche i capricci del caso, a cominciare dal momento in cui siamo stati concepiti.

3541. I discorsi vacui che non dicono nulla al principio possono intrattenere l'ironia e dopo generano noia.

3542. La gelosia non ama nessuno. Aspira solo al possesso esclusivo e a monopolizzare l'interesse.

3543. Le regole della fantasia sono fatte di eccezioni deliziose.

3544. L'insondabile mistero in cui siamo immersi è reso invisibile dalla nostra mancanza di interesse verso le riflessioni teoricamente astratte.

3545. Nell'arte, non sarà la logica a creare delle cose belle. Altrimenti i più grandi artisti sarebbero i filosofi. Questo non impedisce alle sottigliezze intellettuali (dissociate dalla creatività) di fare cose brutte.

3546. Con l'aborto, si nega ad un nuovo essere che appartiene a noi la vita che appartiene a lui.

3547. La nostra dignità è basata sulla nostra umanità. Infatti, se non siamo umani siamo indegni di appartenervi.

3538. In their best meaning, ambition and envy are powerful instruments that nature employs to stimulate the necessary competitive spirit.

3539. We approve what we like. For example, some like to learn and some to teach. And all to amuse themselves.

3540. Individual differences reflect also the whims of chance, beginning with the moment we have been conceived.

3541. The empty talks that do not say anything at first may entertain irony and then bring about boredom.

3542. Jealousy does not love anyone. It aspires only to an exclusive possession and to monopolize interest.

3543. The rules of fantasy are made of delightful exceptions.

3544. The unfathomable mystery in which we are immersed is made invisible by our lack of interest in theoretically abstract reflections.

3545. In art, it will not be logic that creates beautiful things. Otherwise the greatest artists would be the philosophers. This does not prevent intellectual subtleties (dissociated from creativity) to make ugly things.

3546. With abortion, we deny to a new being who belongs to us the life that belongs to him.

3547. Our dignity is based on our humanity. In fact, if we are not humane we are unworthy of belonging to it.

3548. In senso lato, persino le leggi dell'economia riflettono quelle della natura umana (per es., l'interesse individuale). Le teorie che non tengono conto di questa realtà non durano a lungo.

3549. I forti tendono ad imporre i propri interessi. I deboli cercano di unirsi per proteggere i propri interessi fondamentali. In genere, i secondi sono meno efficaci nel difendere i propri interessi, perché i loro interessi non coincidono mai completamente.

3550. Quando ci si rende conto che le "modificazioni" della realtà che noi proponiamo non possono essere migliori delle soluzioni della natura, questo non vuol dire che non si debbano cercare le nostre "soluzioni" umane ai problemi umani spesso creati da noi. Al contrario, nel cercarle, ci si conforma ad una ben precisa legge di natura, dal momento che quello che si fa è sempre diverso e pertanto richiede soluzioni diverse (anche se talvolta si rivelano erronee).

3551. Sarebbe assai meno difficile fare il proprio interesse se solo sapessimo quello che è.

3552. Si trova più spesso la felicità nella delicatezza delle proprie emozioni che nelle delusioni dei beni materiali.

3553. S'impara dagli errori passati solo per farne di differenti nel futuro.

3554. Persino il cinismo rispetta la freschezza dell'innocenza. Anzi, può esserne turbato per un complesso d'inferiorità.

3548.   In a broad sense, even the laws of economy reflect those of human nature (e.g., individual interests). The theories that disregard this reality do no last for long.

3549.   Those who are strong tend to impose their interests. And those who are weak seek to unite to protect their fundamental interests. In general, the latter are less effective in defending their interests, because their interests are never completely coincident.

3550.   When we realize that the "modifications" of reality that we propose can not be better than the solutions of nature, this does not mean that we should not seek human "solutions" to the human problems often created by us. On the contrary, in seeking them, we conform to a well-defined law of nature, since what we do is ever different and therefore it demands different solutions (even if sometimes they prove wrong).

3551.   It would be much less difficult to pursue one's own interest if one only knew what it was.

3552.   One finds happiness more often in the delicateness of one's emotions than in the disillusions of material possessions.

3553.   We learn from our past mistakes only to make different ones in the future.

3554.   Even cynicism respects the freshness of innocence. Nay, it can be disturbed by it through an inferiority complex.

3555.   La decadenza è caratterizzata da una mancanza di fiducia in se stessi, sfiducia che può essere in gran parte psicologica (cioè, oggettivamente ingiustificata)

3556.   Le aspirazioni del futuro danno uno scopo e un significato al presente. Danno decisione e coraggio.

3557.   In una società, quando la mancanza di speranza cancella il futuro, il presente si ripiega sui piaceri fisici. Ma l'iniziale euforia si rivela ben presto deludente: i piaceri non sono un'alternativa al diritto e al dovere di volere un futuro.

3558.   I piaceri per se stessi non sono deludenti: lo divengono quando diventano il solo scopo.

3559.   È pericoloso voler giustificare i nostri fallimenti a noi stessi. Facendo così, li si "legalizza" e li si perpetua. Inoltre, non si crede alle nostre giustificazioni.

3560.   Le verità più grandi non sono quelle che convincono, ma quelle che seducono.

3561.   Se l'uomo è la misura di tutte le cose, allora ci sono tante misure quanti esseri umani. Come, infatti, è.

3562.   Una vita senza amore è come una notte gelida, triste, nuvolosa e senza luna.

3563.   Uno squilibrio nei valori della vita è introdotto tanto dai grandi progressi specializzati (per es., scientifici) quanto dalla decadenza. Ma nella seconda, lo squilibrio è solo negativo ed anche colpevole.

3555.   Decadence is characterized by the lack of self-confidence, a feeling that may be largely psychological (i.e., objectively unjustified).

3556.   The aspirations of the future give an aim and a meaning to the present. They give determination and courage.

3557.   When, in a society, the lack of hope erases the future, the present withdraws into physical pleasures. But the initial euphoria proves soon to be disappointing: pleasures are not an alternative to the right and the duty of wanting a future.

3558.   Pleasures in themselves are not disappointing: they become so when they are the only aim.

3559.   It is dangerous trying to justify our failures to ourselves. In so doing, we "legalize" and perpetuate them. Furthermore, we do not believe in our justifications.

3560.   The greatest truths are not those that convince, but those that seduce.

3561.   If man is the measure of all things, then there are as many measures as human beings. As, in fact, it is.

3562.   A life without love is like a night that is icy, sad, cloudy and without moon.

3563.   An unbalance in the values of life is created either by a specialized progress (for example, scientific) or by decadence. But in the latter, the unbalance is only negative and also culpable.

3564. Prese isolatamente, neanche le virtù sono buone.

3565. È legge generale che, per essere normale, la realtà necessita la presenza di opposte tendenze. Tuttavia, per essere una realtà vitale e dinamica, le opposte tendenze devono essere non semplicemente presenti, ma anche in continuo contrasto. Naturalmente, quello che deve essere permanente è il contrasto, non il prevalere di una delle tendenze.

3566. La verità rifugge dal predicare. Si attende solo che chi l'ascolta rifletta.

3567. Il futuro è quella parte del nostro Io che non abbiamo ancora realizzato.

3568. Un politico deve perseguire l'interesse della nazione (non di una fazione) navigando in un mare reso pericoloso dagli scogli di potenti e contrastanti interessi e convinzioni. Questo richiede un pilota molto abile che sa navigare il difficile arcipelago della psicologia delle menti.

3569. L'aforisma è figlio dell'amore fra l'intuito e la riflessione.

3570. Di realmente nuovo non ci sono che i frutti della creatività. Sono necessariamente nuovi, perché sono originali.

3571. Sia pure mal volentieri, l'onestà apprezza quello che riconosce essere vero, anche se in disaccordo con le sue convinzioni e preferenze.

3572. Nella vita, nulla è stazionario e nulla si può fermare. Ancor meno si può tornare indietro.

3564. Taken in isolation, not even virtues are good.

3565. It is a general law that, to be normal, reality necessitates the presence of opposite tendencies. However, to be a vital and dynamic reality, the opposite trends need not to be merely present, but instead to be in continuous contrast. Naturally, what must be permanent is the contrast, not the prevailing of one trend.

3566. Truth shuns preaching. It only expects that those who listen should reflect.

3567. The future is that part of our Self that we have not yet realized.

3568. A politician must pursue the interest of the nation (not of a faction) while navigating on a sea made dangerous by the reef of powerful contrasting interests and convictions. This requires a very skillful pilot who is capable of navigating the difficult archipelago of the psychology of the minds.

3569. The aphorism is a child of the love between intuition and reflection.

3570. Only the fruits of creativity are new. They are necessarily new because they are original.

3571 Even if unwillingly, honesty appreciates what it recognizes to be true, even if does not agree with its convictions and preferences.

3572. In life, nothing is stationary and nothing can be stopped. Even less we can turn back.

3573. La ragione per cui la scienza persegue la verità e solo la verità è che investiga l'opera di Dio e deve riportare quello che Dio ha fatto, non quello che uno scienziato potrebbe preferire.

3574. È vero che ci sono quadri belli di persone brutte, ma ci sono anche quadri brutti di persone brutte.

3575. Con ogni neonato, nasce una nuova, fresca, avvincente, originale e unica forma di realtà.

3576. Per dire delle bugie, bisogna sapere quale è la verità. Altrimenti, si dicono solo delle cose sbagliate. La differenza tra bugie coscienti e incompetenza incosciente.

3577. Un occhio reso svanito dall'età avanzata può ancora conservare un barlume di comprensione. Talvolta ironico, per aver visto troppo.

3578. Il passaggio da una generazione alla successiva è graduale e senza brusche transizioni, perché ogni giorno nascono nuovi inquilini della terra mentre muoiono alcuni di quelli vecchi.

3579. Per quanto piuttosto raro, si può essere meglio di quello che ci si crede. Qualche volta, questo è una manifestazione di timidità.

3580. L'indifferenza non avrà mai emozioni e l'aridità non ne ha più.

3581. Nell'adolescenza, i frutti dell'amore sono ancora acerbi. Non per l'imbarazzo dell'inesperienza, ma per lo stadio ancora precoce di un'immaturità mentale in evoluzione.

3573.   The reason why science pursues the truth and only the truth is that it investigates the work of God and has to report what God did, not what a scientist might prefer.

3574.   It is true that there are beautiful paintings of ugly persons, but there are also ugly paintings of ugly people.

3575.   With each newborn baby, a new, fresh, endearing, original and unique form of reality is born.

3576.   To say lies one must know what the truth is. Otherwise, one says only wrong things. The difference between conscious lies and unconscious incompetence.

3577.   An eye faded by an advanced age may still conserve a glint of comprehension. Sometimes ironical, for having seen too much.

3578.   The passage from one generation to the next is gradual and without an abrupt transition because every day new tenants of the earth are born while some old tenants die.

3579.   Although rather rare, one can be better than what one believes to be. Sometimes, this is a manifestation of timidity.

3580.   Indifference will never have emotions and aridity does not have them any longer.

3581.   In adolescence, the fruits of love are still unripe. Not because of the awkwardness of inexperience, but because of the still early stage of the evolving mental immaturity.

3582. Il passare inesorabile del tempo suscita un sentimento di malinconia per la discrepanza tra l'età del corpo e quella della mente, sia quando il corpo invecchia prima della mente sia quando si verifica il contrario.

3583. Quando la creazione è al servizio del denaro (per es., certi film), si crea solo quello che "vende". Ma, a lungo andare, i film che sono venduti di più (o per lo meno che durano o che meritino di durare di più) sono quelli nei quali la creazione è al servizio dell'arte.

3584. I pensieri sono come esploratori che penetrano nella giungla dell'ignoto col rischio di perdervisi.

3585. Nella gioventù, qualche volta alla purezza del volto non corrisponde la purezza dell'anima. Nelle persone più anziane, anche quando c'è purezza dell'anima, non c'è più quella fisica del volto (per quanto ci possa essere quella dell'espressione).

3586. Il fascino della bellezza fisica è come quello di una notte di luna: può far sognare finché dura.

3587. Gli impulsi sessuali istintivi svegliano (e qualche volta spaventano o scandalizzano) l'innocenza dell'adolescenza. Con molta fermezza, inaugurano un nuovo stadio obbligatorio di sviluppo fisiologico. Le inderogabili necessità della maturazione e della riproduzione.

3588. La necessità di un continuo rinnovo della razza umana è reso apparente dal fatto che una nuova generazione comincia con l'imparare quello che la vecchia generazione diventa incapace di apprendere (per esempio, le nuove tecnologie).

3582. The inexorable passing of time elicits a feeling of melancholy for the discrepancy between the age of the body and that of the mind, either when the body ages before the mind or when the converse occurs.

3583. When creation is at the service of money (e.g., certain films), only that which "sells" is created. But, in the long run, the films that sell the most (or at least that last or are worthy of lasting the most) are those in which creation is at the service of art.

3584. Thoughts are like explorers that penetrate in the jungle of the unknown at the risk of getting lost in it.

3585. In youth, sometimes to the purity of the visage does not correspond the purity of the soul. In older people, even when there is purity of the soul, there is no longer the physical purity of the visage (although there might be that of the expression).

3586. The fascination of physical beauty is like that of a moonlit night: it may make one dream as long as it lasts.

3587. The instinctive sexual drives awake (and sometimes frighten or scandalize) the innocence of adolescence. Ruthlessly, they inaugurate a new obligatory stage of physiological development. The mandatory necessities of maturation and reproduction.

3588. The necessity of a continuous renewal of the human race is made apparent by the fact that a new generation begins by learning that which the old generation becomes unable to master (e.g., technological advances).

3589. Una pacatezza continua sarebbe opprimente. Sarebbe come se la nostra anima rimanesse sempre impassibile.

3590. Se si deve far violenza alle nostre inclinazioni naturali, è così difficile essere buoni come essere cattivi.

3591. I pensieri e i sentimenti che sono presenti nelle differenti menti sono di una varietà incredibile dal momento che originano da differenti speranze, credenze, convinzioni, affetti, paure, pregiudizi, educazione, desideri, ambizioni, struttura genetica, ecc., la cui combinazione è assolutamente unica e (in parte) mutevole in ciascuna mente.

3592. La timidezza ha una delicatezza che rende grossolana la facile disinvoltura dell'impudenza.

3593. L'umanità non eccelle mai su tutti i fronti allo stesso tempo, ma piuttosto in campi diversi (scientifico, filosofico, artistico, religioso, ecc.) secondo le condizioni del momento. L'implicazione di questo è che vi possano essere talenti che non sono apprezzati dalla non idoneità dei tempi.

3594 Il futuro finisce quando cessano le speranze, desideri e le attese. Quando il cuore diventa muto di sentimenti e sordo alle emozioni.

3595. I ricchi hanno tutte quelle cose che farebbero la felicità dei poveri. I ricchi ci sono abituati e i poveri le desiderano intensamente. Pertanto, la felicità non è causata dall'avere le cose, ma dall'ottenerle. Naturalmente, questo significa che dopo un po' di tempo non danno più felicità.

3589.   A continued calmness would be oppressive. It would be as if our soul were to always remain impassive.

3590.   It is as difficult to be good as it is to be bad if we have to do violence to our natural inclinations.

3591.   The thoughts and feelings that are present in different minds are of an incredible variety since they originate from different hopes, beliefs, convictions, affections, fears, prejudice, education, desires, ambitions, genetic set up, etc., whose combination is absolutely unique and (in part) changeable in each mind.

3592.   Timidity has a delicateness that renders coarse the cheap self-assurance of impudence.

3593.   Humanity never excels on all fronts at the same time, but rather in different fields (scientific, philosophic, artistic, religious, etc.) according to the conditions of the moment. The implication of this is that there may be talents that are not appreciated by the unsuitability of the times.

3594   The future ends when hopes, desires and expectations cease. When the heart becomes mute of feelings and deaf to emotions.

3595.   The wealthy have all the things that would make the poor happy. The wealthy are used to them and the poor intensely desire them. Therefore, happiness is not created by possessing things, but obtaining them. Naturally, this means that after a while they do not give happiness any longer.

3596. Si può competere solo con chi è dello stesso ordine di grandezza. Pertanto, in un certo senso, le dimensioni dei nostri rivali definiscono il livello della nostra piccolezza.

3597. La condotta umana è determinata da numerosi fattori, tra cui gli istinti, interessi, ambizioni, desideri, credenze e convinzioni. Se vi è contrasto tra i vari fattori, le lacerazioni emotive interne portano all'infelicità, qualunque sia il fattore che prevale. Questa è la ragione per cui alcuni trovano la pace nel convento col rinunciare a tutto, eccetto la totale dedizione a Dio.

3598. Siamo tutti esseri razionali, specialmente quando non ci si comporta irrazionalmente.

3599. Le passioni diventano grigie ed esangui solo dopo gli spasimi penosi della loro agonia.

3600. La logica ha le sue audacie, che qualche volta la fanno diventare illogica. Allora, la logica cede irrazionalmente alla passione delle convinzioni. Anzi, diventa uno strumento delle passioni.

3601. Ci sono più "avventure" intellettuali nella confusione che nella chiarezza, ma purtroppo solo ben poche delle prime finiscono bene.

3602. La competenza consiste nel sapere e fare bene quello che abbiamo imparato da una lunga esperienza. Questo comporta l'essere incompetenti in tutto il resto (che non è poco).

3596.   One can compete only with those who are of the same order of magnitude. Therefore, in a sense, the dimensions of our rivals define the level of our smallness.

3597.   Human behavior is determined by numerous factors, among which are instincts, interests, ambitions, desires, beliefs and convictions. If there is a conflict between the various factors, internal emotive lacerations lead to unhappiness no matter which factor prevails. This is the reason why some find peace in a convent by renouncing everything except the total dedication to God.

3598.   We are all rational beings, especially when we do not behave irrationally.

3599.   Passions become gray and anemic only after the painful throes of their agony.

3600.   Logic has its own audacities that sometimes make it become illogical. Then, logic irrationally yields to the passion of the convictions. Nay, it becomes an instrument of passions.

3601.   There are more intellectual "adventures" in confusion than in clarity, but unfortunately only very few of the former end up well.

3602.   Competence consists in knowing and doing well what we have learned from a long experience. This implies being incompetent in all the rest (which is not little).

3603. L'odio si esprime nello sguardo ancor prima che si apra la bocca.

3604. La coerenza richiede che le soluzioni proposte dalla confusione siano anche loro confuse.

3605. Le necessità della statistica impongono che l'evoluzione e l'involuzione si sviluppino parallelamente. Il risultato netto determina se vi è un progresso o regresso.

3606. Nelle bestie, l'attività sessuale è l'espressione ormonale della necessità della riproduzione, ma in genere non della sensualità, lascivia, lussuria o amore. Nell'uomo, può essere il risultato di una o più di queste "variabili".

3607. L'umiltà coscientemente vuole ignorare i meriti che si hanno, i quali, essendo relativi, sono soggetti a valutazioni soggettive. Per questo, si può anche essere umili rispetto a meriti che sono assai più piccoli di quello che si crede di avere. In tal caso, l'umiltà può essere inconsciamente (e in parte) ingiustificata.

3608. Si chiede di più alla volontà quando ci s'indebolisce fisicamente. Forse a quello stadio lì, la volontà diventa ostinazione o una caparbia tenacia, quando invece la soluzione ragionevole e razionale sarebbe prendersi un po' di riposo.

3609. Intrinsecamente, la felicità non può durare: se non altro, per l'erosione da parte dell'abitudine.

3610. Certe cose possono attrarre alcuni, ripugnare ad altri e attrarre e ripugnare allo stesso tempo a molti di più.

3603.   Hatred is expressed in one's look even before one opens the mouth.

3604.   Coherence requires that the solutions proposed by confusion should be also confused.

3605.   The necessity of statistics imposes that evolution and involution should develop in a parallel fashion. The net result determines whether there is progress or regression.

3606.   In the animals, sexual activity is the hormonal expression of the necessity of reproduction, but in general not of sensuality, lasciviousness, lust or love. In humankind, it may be the result of one or more of these "variables".

3607.   Humility consciously wants to ignore one's own merits, which, being relative, are subject to a subjective evaluation. For this reason, one can also be humble with respect to merits that are much smaller of what one believes. In that case, humility can be unconsciously (and in part) unjustified.

3608.   We demand more to our will when we become weakened physically. Maybe at that stage, the will becomes obstinacy or an unyielding tenacity, when the sensible and rational solution would be to get some rest.

3609.   Intrinsically, happiness can not last: if nothing else, because of the erosion by habit.

3610.   Some things may attract some people, repel others and attract and repel at the same time most people.

3611. Nulla è più irritante per noi di qualcuno che ha sempre ragione. Specialmente, se, in effetti, ha spesso ragione.

3612. Un amore che non sogna non è neanche amore: che amore può essere un amore senza sogni? O con sogni meschini?

3613. Lo stile non si può permettere di non avere un contenuto. Come il contenuto di non avere stile.

3614. Per essere vitale, la felicità non può essere continua. È l'infelicità che crea la base per la successiva felicità, come quando uno ottiene quello che intensamente desiderava. Se si ottiene quello che si vuole facilmente, subito e sempre, la mancanza dei desideri intensi e protratti dell'infelicità impedisce la successiva felicità. Si hanno solo i piaceri che derivano dalla soddisfazione dei capricci. Per questo, la ricchezza ereditata compra il piacere, ma non la felicità.

3615. L'umiltà cresce quando rimane la stessa nonostante il crescere dei meriti.

3616. Un politico scadente mentisce così male da non essere creduto.

3617. La nostra anima si ribella istintivamente all'idea che si possa essere solo materia, come un albero o un sasso.

3618. I desideri cessano di essere desideri quando sono soddisfatti e possono diventare ossessioni quando rimangono insoddisfatti.

3611.   Nothing is more irritating for us than someone who is always right. Especially if, in effect, one is often right.

3612.   A love that does not dream is not even love: what kind of love may be a love without dreams? Or with petty dreams?

3613.   Style can not afford not to have a content. Like the content not to have style.

3614.   Happiness can not be continuous. It is unhappiness that creates the basis of the subsequent happiness, as when one obtains what one has been intensely desiring. If one obtains what one wishes easily, immediately and always, the lack of intense and protracted desires prevents the subsequent happiness. One has only the pleasures that derive from the satisfaction of whims. For this reason, inherited wealth buys pleasure, but not happiness.

3615.   Humility grows when it remains the same in spite of the growth of merits.

3616.   A shoddy politician lies so poorly as not to be believed.

3617.   Our soul instinctively rebels at the idea that we might be only matter, like a tree or a stone.

3618.   Desires cease to be desires when they are satisfied and may become obsessions when they remain unsatisfied.

3619.   Le passioni vedono i ragionamenti come intrusioni ingiustificate. Le passioni vogliono essere soddisfatte, non convinte.

3620.   Le forti tentazioni hanno una loro tenace maniera di rinnovare i loro assalti, contando sulla segreta complicità della nostra debolezza.

3621.   La filosofia va ben oltre il buon senso, ma qualche volta per dire delle complicate sciocchezze. Il buon senso può non essere molto profondo, ma (essendo istintivo) si sbaglia meno spesso.

3622.   Su qualsiasi soggetto, è improbabile che tutto quello che si potrebbe dire sia espresso con una singola frase. Di qui affermazioni diverse che si rivolgono ad angoli differenti dello stesso argomento.

3623.   In certe occasioni, il silenzio può parlare eloquentemente in quanto forza la mente di altri a riflettere. Tuttavia, di questa eccezione non si può fare una regola. Un'eloquenza muta non esiste.

3624.   Si ripete quello di cui siamo profondamente convinti. Quando succede, si parla di coerenza. Invece, la frivolezza non ripete le sue asserzioni del momento, spesso perché se le dimentica.

3625.   Per non rischiare di contraddirsi, basta dire la verità. Non è allora necessario chiedere alla memoria di ricordarci le nostre precedenti bugie. Ma ci sono situazioni in cui è meno dannoso contraddirsi che dire la verità. Vedi i processi nei tribunali.

3619. Passions view reasoning as an unwarranted intrusion. Passions want to be satisfied, not to be convinced.

3620. Strong temptations have a tenacious way of their own in renewing their assaults, counting on the secret complicity of our weakness.

3621. Philosophy goes far beyond common sense, but sometimes to state complicated nonsense. Common sense may not be very profound, but (being instinctive) is less often wrong.

3622. On any subject, it is unlikely that everything that might be said is expressed in one sentence. Hence, different statements that address different angles of the same theme.

3623. It is true that in some instances silence may speak eloquently in that it forces the mind of others to reflect. However, one can not make a rule of this exception. A mute eloquence does not exist.

3624. One repeats that of which one is deeply convinced. When it happens, one speaks of coherence. Instead, frivolity does not repeat its assertions of the moment, often because it forgets them.

3625. Not to risk contradicting ourselves, it is enough to say the truth. It is not then necessary to ask memory to remind us of our previous lies. But there are situations in which it is less damaging to contradict oneself than to say the truth. See the trials in the courts of law.

3626. Non ci troviamo a nostro agio con quello che penetra le nostre difese ed espone quello che vorremmo che rimanesse non visibile. Lo vediamo come una violazione ingiustificata della nostra intimità.

3627. Una persona morale si sente obbligata ad esigere rigore da se stessa mentre un moralista l'esige dagli altri.

3628. Una delle maniere più efficaci d'insegnare è con l'esempio. Purtroppo, l'esempio insegna che sia buono o cattivo. Anzi, l'esempio cattivo sembra essere un insegnante più efficace.

3629. Nell'analisi altrui, si comprendono meglio quelle cose che abbiamo provato anche noi.

3630. Il problema della rimozione dei tabù istintivi è che si apre la diga della progressiva "legittimazione" di quello che è illegittimo dal punto di vista del comportamento umano. In questa maniera, si apre una breccia alla decadenza. Infatti, se si accetta qualcosa d'inaccettabile, perché ci si dovrebbe fermare lì? E, dopo (una volta abituati a quello) non accettare quello che è ancora meno accettabile?

3631. Come un torrente impetuoso, sonoro e spumeggiante alla fine perde la sua identità nelle profondità blu del mare, così il ricordo della nostra vita si perderà nei silenzi remoti dell'eternità.

3626.   We are not at ease with what penetrates our defenses and exposes what we would want to remain out of sight. We see it as an unwarranted violation of our intimacy.

3627.   A moral person feels obliged to demand uprightness of itself whereas a moralist demands that of others.

3628.   One of the most effective ways to teach is by example. Unfortunately, the example teaches whether it is good or bad. Nay, bad example seems to be a more effective teacher.

3629.   In the analysis of others, we understand better those matters that we have experienced ourselves.

3630   The problem with the removal of instinctive taboos is that one opens the dam of the progressive "legitimating" of what is illegitimate from the point of view of human behavior. In this manner, one opens a breach to decadence. Thus, if we accept something that is unacceptable, why we should stop there? And, afterwards, (once one gets used to it) not to accept what is even less acceptable?

3631.   As an impetuous, thunderous and frothing torrent in the end loses its identity in the blue depths of the sea, likewise the memory of our life will vanish in the remote silences of eternity.

3632. Il comportamento di ciascuno è una questione personale finché uno se lo tiene per sé. Quello che è morale non può (né deve) essere imposto a nessuno. Ma quello che è contro la morale non dovrebbe essere reclamizzato come accettabile. Per esempio, non sarebbe certo accettabile che fosse reclamizzato quello che è contro la legalità o il senso di decenza.

3633. La morte impedisce che la vita individuale sia completamente sorpassata dai tempi. Si vivrebbe in un mondo progressivamente estraneo. Se ne vedono i prodromi nell'età avanzata con la graduale dissociazione e divergenza tra il crescere del progresso e l'involuzione della mente.

3634. Quando si perde il controllo di sé in un accesso di rabbia, si dice anche troppo chiaramente la spiacevolezza di quello che si prova. Più tardi, ci si pente di averlo detto, non perché era ingiusto, ma perché abbiamo imprudentemente manifestato quello che volevamo tenere nascosto.

3635. L'umanità procede per estremi: dalla caccia alle "streghe" all'abuso della libertà. In una certa epoca o in un certo ambiente, certe fasce della società cercano di imporre quello che è ottenibile, che sia giusto o meno. Se prevale il potere assoluto dei fanatici, l'oscurantismo cerca di approfittarne. Se prevale la permissività, la licenza fa altrettanto. In tutti e due i casi, si spingono le conseguenze agli estremi. Ne segue il tentativo di trasformare le preferenze (o prepotenze) personali in pubbliche leggi.

3632.   The behavior of each one is a personal matter as long as one keeps it to oneself. What is moral can not (and should not) be dictated to anyone, but what is against morality should not be advertised as acceptable. For example, it certainly would not be acceptable that which is against legality or the sense of decency.

3633.   Death prevents that individual life should be completely overtaken by the times. One would live in a progressively foreign world. One sees the premonitory signs of it in advanced age with the gradual dissociation and divergence between the growth of progress and the involution of the mind.

3634.   When we lose our control in a fit of rage, we say only too clearly the unpleasantness of what we really feel. Later, we repent of having said it, not because it was unjust but because we imprudently let out what we meant to keep hidden.

3635.   Mankind proceeds by extremes: from the "witch" hunt to the abuse of freedom. In a certain age or in a certain environment, certain layers of society try to impose what they can obtain, whether it is right or not. If the absolute power of fanatics prevails, obscurantism tries to take advantage of it. If permissiveness prevails, license does likewise. In both instances, the consequences are pushed to the extremes. The attempt to transform private preferences (or bullying) into the law of the land follows.

3636. Ogni generazione struttura quella successiva in una maniera diversa perché il punto di partenza è cambiato. Per esempio, si può dare ai figli quello che a noi i nostri genitori non potevano dare (dalle valanghe di giocattoli ad un'educazione avanzata).

3637. Ogni mattina, quando ci si sveglia, si apre il sipario sulla scena del mondo per recitare la parte del copione che noi andiamo scrivendo. Il copione dello spettacolo della nostra vita.

3638. Le opinioni individuali sono espresse a tutti i livelli e possono essere sbagliate a qualsiasi livello. Di qui, la necessità di verificare che siano giustificabili (e sono, di fatto, giustificate) indipendentemente da chi le ha enunciate. Naturalmente, senza renderci ridicoli.

3639. Il mondo della fantasia è differente, ma non meno reale di quello fisico e può essere altrettanto attraente.

3640. Nelle nostre realizzazioni, è preferibile essere ignorati che essere in errore. Essere ignorati è suscettibile di correzione mentre essere in errore alla fine porta ad essere ignorati.

3641. Quello che fa una gran differenza nella giovinezza è l'euforia del suo modo di sentire ed il senso di benessere fisico.

3642. I piaceri della creatività sono tra i più duraturi dal momento che la creatività è espressione (e pertanto parte integrante) dell'Io.

3643. L'intensità di certi sentimenti è regolata da ormoni.

3636.   A generation structures the successive one in a different way, since the starting point is changed. For example, we can give to our children what our parents could not give to us (from an avalanche of toys to an advanced education).

3637.   Every morning, when we wake up, we raise the curtain on the stage of the world to act the part of the script that we are writing. The script of the play of our life.

3638.   Personal opinions are expressed at all levels and they may be wrong at any level. Hence, the necessity of verifying that they should be justifiable (and in fact are justified), independently of who has enunciated them. Naturally, without making fools of ourselves.

3639.   The world of fantasy is not less real than the physical one and it can be as attractive.

3640.   In our accomplishments, it is preferable to be ignored than to be in error. To be ignored is susceptible of correction whereas to be in error in the end leads to be ignored.

3641.   What makes a great difference in youth is the euphoria of its way of feeling and the sense of physical well being.

3642.   The pleasure of creativity are among the longest lasting ones, since creativity is the expression (and therefore an integral part) of the Self.

3643.   The intensity of certain feelings is regulated by hormones.

3644. Per essere dalla parte della ragione, l'ironia deve deridere quello che ha il torto di essere formalmente serio e sostanzialmente ridicolo.

3645. Spesso l'energia non ha il tempo, la voglia o la capacità di riflettere sulle questioni generali. In genere, è compiaciuta della propria risolutezza, attività, organizzazione e realizzazioni pratiche. La filosofia? Un farfugliare di astrazioni astruse e senza significato. Per non parlare dei patetici sospiri della poesia.

3646. Si prende per decisione la mancanza di dubbi, quando invece la decisione dovrebbe includere il superamento critico di quelli.

3647. La stanchezza è la vendetta di un'attività troppo intensa e protratta. O di un cronico far niente.

3648. Una sintesi consiste nel porre in relazione le cose con cui veniamo a contatto in maniera casuale. Si apre una cartella nella mente in cui si raccolgono dati diversi ma collegati, li si pongono in ordine e se ne vede il significato generale. E si pone la cartella in relazione ordinata con le altre. Nuovi dati sono poi aggiunti nella cartella appropriata. Ma questo non è certo un lavoro burocratico.

3649. Si deve ad un'idea brillante l'obbligo delle prove. In quale altra maniera decideremo se l'idea è vera o falsa? A meno che l'idea ci interessi solo dal punto di vista estetico.

3650. Il problema non è se si dimentica, ma cosa si dimentica. Lo stesso vale per quello che si ricorda.

3644. To be on the side of what is right, irony must deride only what has the fault of being formally serious and substantially ridiculous.

3645. Often, energy has not the time, the wish or the capacity of reflecting on the general questions. In general, it is pleased with its own determination, activity, organization and practical accomplishments. Philosophy? A mumbling of abstruse meaningless abstractions. Not to speak of the pathetic sighs of poetry.

3646. We take for determination the lack of doubts, when instead determination should include the critical overcoming of them.

3647. Tiredness is the vendetta of a too intense and protracted activity. Or of a chronic doing nothing.

3648. A synthesis consists in relating things that we have been brought into contact in a random way. We open a file in the mind in which we collect different but related data, we put them in order and we see their general meaning. And we put the file in an ordered relations to the other files. New data are then added in the appropriate file. But this certainly is not a bureaucratic endeavor.

3649. We owe to a brilliant idea the obligation of a proof. In what other way can we decide whether the idea is true or false? Unless the idea interests us only from the esthetic point of view.

3650. The problem is not whether we forget, but what we forget. The same applies to what we remember.

3651. Siamo delle marionette in balia della nostra volontà e della nostra debolezza. Ora vince l'una e ora l'altra, e noi ubbidiamo sempre.

3652. È importante che una cosa sia ragionevole, ma è essenziale che sia vera. La differenza tra il buon senso e la filosofia.

3653. Come una meteora, la vita avanza intrepida nell'oscurità dell'ignoto, lasciandosi dietro le nebbie della dimenticanza.

3654. La vera perfezione di un'opera risiede nello spirito che la pervade, piuttosto che nell'espressione formale. Per es., nella pittura o musica.

3655. Nel suo interesse, una società dovrebbe incoraggiare tutte le espressioni della creatività e riconoscere quelle che lo meritano.

3656. Che cosa sarebbe la terra senza la razza umana? Solo una bellissima giungla piena di fiori e di animali. Ma bellissima per chi?

3657. La volontà è fatta non soltanto di impulsi in avanti, ma anche di inibizioni potenti degli impulsi trasversali. La mancanza di diversioni contribuisce a farla procedere in linea retta verso lo scopo prefisso.

3658. Non dobbiamo temere se non di deludere noi stessi.

3659. Se non si spera, spesso si dispera.

3651. We are puppets at the mercy of our will and our weakness. Now the former wins and now the latter, and we always obey.

3652. It is important that a thing should be reasonable, but it is essential that it be true. The difference between common sense and philosophy.

3653. Like a meteor, life intrepidly advances toward the darkness of the unknown, leaving behind the fog of forgetfulness.

3654. The real perfection of a work resides in the spirit that pervades it, rather than in its formal expression. E.g., in painting or in music.

3655. In its own interest, a society should encourage all expressions of creativity and recognize those that deserve recognition.

3656. What would the earth be without the human race? Only a beautiful jungle full of flowers and animals. But beautiful for whom?

3657. Willpower is made up not only of forward drives, but also of potent inhibitions of transverse drives. The lack of diversions contributes to make it proceed in a straight line toward the appointed goal.

3658. We should not fear but to disappoint ourselves.

3659. If we do not hope, often we despair.

3660. La mancanza di fiducia in se stessi dovrebbe essere ignorata, che sia giustificata o meno. Rende tutto inutilmente molto più difficile.

3661. Ci si può vergognare del colore dei calzini che non si accorda col quello del vestito, e non di un atto disonesto.

3662. Non è il perseguire il proprio interesse, ma la maniera in cui lo si persegue che può non essere accettabile. E ancor meno, la maniera angusta con cui si concepisce il proprio interesse.

3663. Le passioni non sono comprensibili, perché c'è ben poco da capire.

3664. Qualche volta, le ribellioni sono l'eruzione esasperata di una pazienza (o impazienza) frustrata.

3665. Per mentire, ad un politico occorre la faccia tosta dal momento che lui sa bene che gli altri sanno bene che lui mentisce. Com'è possibile che sullo stesso argomento ci siano le verità del governo e dell'opposizione?

3666. I soldi che si spendono più liberamente sono quelli degli altri.

3667. Le inibizioni istintive sono così potenti che persino nei sogni notturni talvolta il subconscio (per evitare di scandalizzare la coscienza) deve mimetizzare quello che è soppresso.

3660.   The lack of self-confidence should be ignored, whether justified or not. It makes everything uselessly more difficult.

3661.   We may be ashamed of the color of the socks not matching that of the suit and not of a dishonest action.

3662.   It is not pursuing one's own interest, but the way in which it is pursued that may not be acceptable. And even less, the narrow way in which we conceive our interest to be.

3663.   Passions are not understandable, because there is little to understand.

3664.   Sometimes, rebellions are the exasperated eruptions of a frustrated patience (or impatience).

3665.   In order to lie, a politician needs impudence since he knows well that the others know well that he lies. How is it possible that on the same subject there should be the truths of the government and those of the opposition?

3666.   The money that we spend most freely is that of others.

3667.   The instinctive inhibitions are so powerful that even in nocturnal dreams sometimes the subconscious (to avoid scandalizing the conscience) has to camouflage what is suppressed.

3668. Qualcuno controlla le espressioni della faccia secondo l'occasione, come un bravo marinaio manovra le vele di una barca secondo il vento.

3669. I desideri ci rendono irrequieti e la loro mancanza annoiati.

3670. L'irrequietezza dello spirito rende l'anima pulsante di vita.

3671. Il linguaggio della tristezza è intessuto di sospiri.

3672. Non sempre i piaceri danno piacere. Specialmente dopo.

3673. Il silenzio può essere assai meno rischioso delle affermazioni a vanvera.

3674. Un politico (o per lo meno un uomo di stato) può essere una persona integerrima, ma deve governare con abilità, chiarezza d'idee, prospettiva storica e la comprensione della dinamica della politica. La sola onestà sarebbe prontamente travolta.

3675. Immersi nella luce del sole e circondati di verde, i fiori ci danno la bellezza silenziosa delle loro forme e colori, chiedendo solo di crogiolarsi nella luce del sole e di ricevere un po' d'acqua ogni tanto.

3676. C'è la solitudine che s'impone a noi stessi e quella che ci è imposta.

3668.   Some people control the expressions of their face according to the occasion, as a skilful sailor handles the sails of a boat according to the wind.

3669.   Desires make us restless and their lack bored.

3670.   The restlessness of the spirit renders the soul vibrant.

3671.   The language of sadness is interwoven with sighs.

3672.   Not always pleasures give pleasure. Especially afterwards.

3673.   Silence may be much less risky than haphazard statements.

3674.   A politician (or at least a statesman) may be an upright person, but he must govern with ability, clarity of ideas, historical perspective and comprehension of the dynamics of politics. Honesty alone would be quickly overwhelmed.

3675.   Immersed in the light of the sun and surrounded by greenery, flowers give us the silent beauty of their forms and colors, asking only to bask in the sunlight and for some water once in a while.

3676.   There is the solitude that we force upon ourselves and the one forced on us.

3677. La società è un organismo complesso che richiede la specializzazione delle sue componenti per poter funzionare. Le differenti necessità di una società possono essere soddisfatte solo da differenti tipi di persone, ciascuna adatta ad un certo compito. È straordinario come nelle varie attività non vi siano massicce eccedenze o deficienze.

3678. Spesso sentimenti opposti si scontrano nella nostra mente (per es., amore/odio). Quelli che sono vinti sono respinti, ma non spariscono.

3679. Spesso si sottovaluta sia la forza della nostra debolezza che la debolezza della nostra forza.

3680. Perseguire il proprio interesse non è sinonimo d'egoismo, tanto è vero che si può essere egoisti anche contro il proprio interesse.

3681. Quando siamo confusi, invece di cercare la chiarezza, la si può temere. Ci può dire quello che non ci piace.

3682. Ci si può affezionare a tutto, compresi i nostri difetti. Qualcuno di questi lo preferiamo ad una virtù "petulante".

3683. Un artista crea non quando è indisciplinato o disordinato, ma quando la sua creatività è stimolata. Tuttavia, la disciplina può inaridire la sua immaginazione. Pertanto, una certa indisciplina protegge da una rigidità che potrebbe inibire la fantasia.

3684. Qualche irrequieto può formulano nuove "soluzioni" teoriche. Gli altri sono costretti a farle funzionare, spesso riformulandole.

3677.   A society is a complex organism that requests the specialization of its components in order to function. The different necessities of a society can be fulfilled only by different kind of people, each suited for a certain task. It is extraordinary that in the various activities there are not massive surpluses or shortages.

3678.   Often opposite feelings clash in our mind (e.g., love/hate). Those which are vanquished are rejected, but they do not disappear.

3679.   Often, we underestimate the strength of our weakness as well as the weakness of our strength.

3680.   To pursue one's own interest is not synonymous with egoism, as shown by the fact that one can be selfish also against one's own interest.

3681.   When we are confused, instead of looking for clarity we might fear it. It can tell us what we do not like.

3682.   We may grow fond of everything, including our faults. We prefer some of the latter to a "nagging" virtue.

3683.   An artist creates not when he is undisciplined or disorderly, but when his creativity is aroused. However, discipline may wither his imagination. Therefore, a degree of indiscipline protects against a rigidity that might inhibit one's imagination.

3684.   Some restless people may formulate new theoretical "solutions". The others are forced to make them work, often by reformulating them.

3685. Anche se ci si analizza, è difficile conoscersi interamente perché analizziamo chi analizza.

3686. Con un'occhiata superficiale, non comprenderemo (e ancora meno valuteremo) quello che si legge.

3687. Per qualcuno i soldi sono il termometro della felicità.

3688. Le percezioni dei sensi ci trasmettono i segnali del mondo esterno e la riflessione della mente ne stabilisce il significato.

3689. Gli aforismi indagano non solo i meccanismi della mente, ma anche i meandri del labirinto dell'anima.

3690. Le passioni impediscono alla logica di credersi speciale e unica (o superiore).

3691. La corruzione dell'anima consiste nel compiacersi dei suoi peccati e della sua disonestà.

3692. C'è l'innocenza di chi non conosce ancora il peccato e quella di chi si rifiuta di peccare.

3693. Il buon gusto aiuta molto a non essere volgari.

3694. Il perseguire solo le apparenze sarebbe come essere continuamente degli attori. Si proietterebbe quello che esiste solo come immagine.

3695. La sfiducia genera la sfiducia. Si diffida di chi a torto non si fida di noi.

3685. Even if we analyze ourselves, it is difficult to entirely know ourselves also because we analyze the one who analyzes.

3686. With a superficial glance, we will not understand (and even less appraise) what we read.

3687. For some, money is the thermometer of happiness.

3688. The perceptions of senses transmit to us the signals from the external world and the reflection of our mind assigns a meaning to them.

3689. Aphorisms investigate not only the workings of the mind, but also the meanders of the labyrinth of the soul.

3690. Passions prevent logic from believing to be special and unique (or superior).

3691. The corruption of the soul consists in being pleased with its sins and with its dishonesty.

3692. There is the innocence of those who do not know sins yet and that of those who refuse to sin.

3693. Good taste helps a lot in not being vulgar.

3694. To pursue only appearance would be like being continuously actors. One would project what exists only as an image.

3695. Mistrust generates mistrust. We distrust those who wrongfully distrust us.

3696.   L'immaginazione raggiunge le sue vette nella perfezione delle espressioni artistiche

3697.   Qualche volta non si capisce come la vita possa essere così crudele con alcuni a causa del caso (per esempio, incidenti) o della malattia. Altre volte non è la vita ad essere crudele, ma le libere scelte degli esseri umani. Basta pensare alle crudeltà colpevoli delle guerre.

3698.   Il fatto che certe convinzioni siano nostre non le fa necessariamente giuste, come possono pretendere le nostre credenze. Abbiamo diritto alle nostre convinzioni, ma non ai nostri pregiudizi.

3699.   Nel considerare quello che di spiacevole ci dicono, è nel nostro interesse domandarsi se per caso non abbiano ragione.

3700.   Se si urla, il gran rumore c'impedisce di sentire la voce della ragione.

3701.   L'indisciplina è un ingrediente inevitabile della libertà e di una necessaria irrequietezza. Uno non può (e non deve) essere solo una macchina. Basta non abusarne.

3702.   L'essenza della chiarezza richiede che abbia pause ed ombre, anzi penombre. Inoltre, deve avere dubbi e incertezze per evitare una sicurezza sbagliata che conduce ad errori.

3703.   Qualcuno fallisce non perché vuole molto, ma perché vuole troppo. Probabilmente, nell'euforia del successo, non sa tenere sotto controllo gli entusiasmi dell'ingordigia.

3696. Imagination attains its peaks in the perfection of the artistic expressions.

3697. Sometimes we do not understand how life might be so cruel with some people through chance (for example, accidents) or disease. At other times, it is not life that is cruel but the free choices of human beings. It suffices to consider the guilty cruelties of wars.

3698. The fact that certain convictions are ours does not make them necessarily right, as may claim our beliefs. We are entitled to have our convictions, but not our prejudices.

3699. In considering whatever unpleasantness they tell us, it is in our interest to ask ourselves if by chance they are right.

3700. If we scream, the great noise prevents us from hearing the voice of reason.

3701. Indiscipline is an unavoidable ingredient of freedom and of a necessary restlessness. One can not (and should not) be only a machine. Provided one does not abuse it.

3702. The essence of clarity demands that it should have pauses and shadows, nay twilights. Furthermore, it must have doubts and uncertainties to avoid a wrong assuredness that leads to errors.

3703. Some fail not because they want much, but because they want too much. Probably, in the euphoria of success, they can not keep the enthusiasm of their greed under control.

3704. È necessario indagare quale meccanismo faccia diventare necessaria una cosa ovvia. Il sottostante meccanismo può non essere ovvio ad un esame superficiale perché può richiedere la comprensione di un intero sistema.

3705. Si dice "Non è uno sciocco" di uno a cui non riusciamo far fare quello che noi vorremmo.

3706. Non si giudica una casa esaminando i singoli mattoni. Similmente, non si giudica un sistema esaminando separatamente le singole affermazioni.

3707. Tutti abbiamo accessi di energia, più o meno spesso e per le cause più varie, da quelle più insignificanti a quelle essenziali.

3708. La frivolezza ride spesso e pensa raramente. Ride non perché ha il senso dell'umorismo, ma perché è un po' sciocchina.

3709. La grande varietà delle sensazioni esterne fa riflettere alcuni di più e altri di meno. Più spesso, fa la gente meno annoiata.

3710. Se uno non ha illusioni, dovrebbe averle. Come? Chiedendole alla speranza.

3711. È vero che, se non si fa una cosa, se ne può fare sempre un'altra. Non è detto che ci piaccia altrettanto, ma potrebbe essere anche più utile.

3704. It is necessary to investigate which mechanism makes an obvious thing become necessary. The underlying mechanism may not be obvious at a superficial examination for it may demand the comprehension of a whole system.

3705. We say "He is no fool" of one who we do not succeed in making do what we want.

3706. One does not judge a house from the single bricks. Similarly, one does not judge a system by examining separately the single statements.

3707. We all have fits of energy, more or less often and for the most varied causes, from the most insignificant to the essential ones.

3708. Frivolity laughs often and thinks rarely. It laughs not because it has sense of humor, but because it is a little foolish.

3709. The great variety of external sensations makes some reflect more and some reflect less. More often, it makes people less bored.

3710. If one has no illusions, one should have them. How? By asking them to hope.

3711. It is true that, if we can not do one thing, we can always do another. It does not mean that we like it as much, but it might be even more useful.

3712. Ci si travasa in quello che si fa, perché l'Io passa e le sue opere rimangono. La vanità diventa allora l'anima di una spoglia svuotata.

3713. Quando ci s'indebolisce fisicamente, la disciplina ne approfitta per diventare indisciplinata.

3714. Un desiderio fisiologico diventa avidità (per es., per i soldi) quando il soddisfarlo aumenta il desiderio invece di estinguerlo. Servo-meccanismo positivo.

3715. Qualcuno va al lavoro per riposarsi: semplicemente non fa nulla (o quasi).

3716. L'ombra del peccato è il senso di colpa.

3717. Per eccellere in un'attività (per esempio, la danza classica), bisogna parteciparvi con tutta la passione dell'anima cosicché tutto il corpo ne sia permeato.

3718. In genere, si urla per aver perduto la pazienza, non perché si abbia ragione (o si ritenga d'averla).

3719. Quando siamo completamente esauriti e svuotati di energia, la mente guarda alle cose con lo sguardo di una pecora, uno sguardo vuoto e inespressivo che riflette la mancanza di flutti emotivi.

3720. Il sole sorge anche sulle nostre tristezze, ma solo la nebbia partecipa alla nostra melanconia.

3712.   We pour ourselves in what we do, because the Self passes and its work remains. Vanity then becomes the soul of an emptied shell.

3713.   When we weaken physically, discipline takes advantage of that by becoming undisciplined.

3714.   A physiological desire becomes avidity (e.g., toward money) when its satisfaction increases the desire, instead of quenching it. Positive feed-back.

3715.   Some go to work in order to rest: simply, they do not do anything (or almost).

3716.   The shadow of sin is the sense of guilt.

3717.   To excel in an activity (for example, classical dance) it is necessary to participate in it with the whole passion of the soul so that the whole body is permeated by it.

3718.   In general, we shout because we lost our patience, not because we are right (or believe to be right).

3719.   When we are utterly exhausted and emptied of energy, the mind looks at things with the stare of a sheep, an empty and inexpressive stare that reflects the lack of emotive swells.

3720.   The sun rises also on our sadness, but only the fog participates in our melancholy.

3721. Si può ritardare il processo d'invecchiamento solo quando la mente ancora continua a crescere, sferzata dal suo ardore.

3722. L'Ordine si serve del caso in maniera ordinata per creare Varietà (per esempio, mescolando a caso i patrimoni genetici). Il caso si differenzia dal disordine col distribuirsi ordinatamente lungo una curva a campana.

3723. L'intero sistema della vita è basato sul conflitto d'opposti, ma non esclusivamente sul solo conflitto. Per es., basti considerare una bella musica o un bel romanzo. Il conflitto è un mezzo di realizzazione attraverso il reclutamento delle proprie potenzialità, ma il suo scopo non è la brutalità della lotta per sé.

3724. Il caso non ha né pietà né crudeltà: solo probabilità statistiche.

3725. Individualmente, si può essere trattati con crudeltà dal destino. Ma purtroppo non ci sono alternative: per es., se si evitassero tutte le guerre e la morte di tanti giovani soldati, si fermerebbe la storia, con risultati collettivi disastrosi. Le conseguenze della mancanza di lotta per la sopravvivenza porterebbe al declino di indispensabili valori. Le conseguenze sociali sarebbero distruttive.

3726. Una prosperità diffusa e la mancanza di pericoli mortali favoriscono la ricerca dei piaceri, spesso negli abusi della sregolatezza.

3721.   One can slow down the process of aging only when the mind still keeps on growing, whipped by its eagerness.

3722.   Order makes use of chance in an orderly manner to create Variety (for example, by mixing genetic patrimonies at random). Chance differentiates itself from disorder by its orderly distribution along a bell-shaped curve.

3723.   The whole system of life is based on struggle of opposites, but not uniquely and exclusively on struggle alone. E.g., it suffices to consider a beautiful music or a beautiful novel. The struggle is a means of realization through the recruitment of one's potentialities, but its goal is not the brutality of the fight in itself.

3724.   Chance has neither pity nor cruelty: only statistical probabilities.

3725.   Individually, one can be treated cruelly by fate. But, unfortunately, there are no alternatives: if all wars and the death of so many young soldiers were avoided, history would come to a halt, with disastrous collective results. The consequence of the lack of a struggle for survival would bring about the decay of indispensable values. The social consequences would be destructive.

3726.   A diffuse prosperity and the lack of mortal dangers foster the search for pleasures, often in the abuses of license.

3727. Nella lotta, diviene apparente chi ha coraggio e chi non lo ha. Nella lunga pace, anche i falliti reclamano i loro "diritti". Facendo delle dimostrazioni e urlando si rischia poco, tutto al più, pochi giorni di carcere.

3728. Le straordinarie opere di Dio che vediamo nella natura non umiliano la nostra piccolezza perché l'abitudine ce le dà per scontate. Siamo nati con quelle.

3729. L'immoralità pubblica è molto più dannosa di quella privata, dal momento che l'esempio la moltiplica.

3730. Naturalmente ciascuno ha diritto alle sue sciocchezze personali, ma non ad imporle agli altri.

3731. La crudeltà non è giustificata neanche dalla "necessità". Il fatto che talvolta possano non esservi alternative non diminuisce l'istintiva ripugnanza che eccita.

3732. Ci si intrattiene l'un l'altro assai più con quello che è vario che con quello che è vero.

3733. Gli errori sono inevitabili. Una ragione di più per reclamare il diritto di fare solo i nostri.

3734. Per diventare adulti e maturare, le gioie e i dolori sono ugualmente necessari.

3735. La volontà ha bisogno di pause di riflessione per rimanere uno strumento della mente e non diventare fine a se stessa.

3727. In struggle, it becomes apparent who has courage and who does not. In a long peace, also failures demand their "rights". By demonstrating and shouting, one risks little, at most a few days of detention.

3728. The extraordinary works of God that we see in nature do not humiliate our smallness because habit makes us to take them for granted. We were born with them.

3729. Public immorality is much more harmful than the private one, since example multiplies it.

3730. Naturally each one has the right to one's own personal nonsense, but not to impose it on others.

3731. Cruelty is not justified even by "necessity". The fact that sometimes there might be no alternatives does not diminish the instinctive repugnance that it evokes.

3732. We entertain each other much more with what is various than with what is true.

3733. Errors are inevitable. One more reason to demand the right to make only our own.

3734. To become adults and mature, joys and sorrows are equally necessary.

3735. Will power needs pauses of reflection in order to remain an instrument of the mind and not to become an end to itself.

3736. Un'apparente lealtà può essere l'espressione di una coerente dirittura morale che condivide certi principi e convinzioni senza riserve, di una volontaria sottomissione alla superiorità di un capo, di un'ostilità mascherata e impotente che si rivela alla prima occasione favorevole, o della ricerca del proprio vantaggio personale con l'associarsi al potere prevalente. La diagnosi differenziale si può fare sulla base di un'accurata analisi dei segni e sintomi.

3737. Si può non esigere e non aspettarsi nulla da nessuno, ma non da se stessi.

3738. Guardandosi nello specchio, i giovani si compiacciono e i vecchi si dispiacciono.

3739. Fare le cose bene e farle con stile non è la stessa cosa.

3740. Per combattere qualcuna delle nostre inclinazioni naturali, bisogna combattere contro una parte di noi. Il problema è che si cerca di usare la ragione contro gli istinti. Tuttavia, gli istinti si possono forzare, ma non convincere. Se si forzano, gli effetti tendono ad essere transitori.

3741. Se si è giovani e coscientemente attraenti, si trova difficile non diventare un po' vani. Uno è preso dalla sua stessa attrattiva: basta vedere come si guarda nello specchio.

3742. L'attrattiva dell'adolescenza è in parte dovuta alla sua immaturità. L'incertezza dell'innocenza e della timidezza. Ma può essere sciupata dalla precocità innaturale delle relazioni sociali.

3736. An apparent loyalty may be the expression of either a coherent moral rectitude that shares certain principles and convictions without reservations, a voluntary submission to the superiority of a leader, a disguised and powerless hostility that becomes manifest at the first favorable occasion, or the search of one's personal advantage by associating with the prevailing power. The differential diagnosis can be made with a careful analysis of signs and symptoms.

3737. We may demand and expect nothing from anybody, but not from ourselves.

3738. Looking at themselves in the mirror, young people are pleased and old people are displeased.

3739. To do things well and to do them with style it is not the same thing.

3740. To fight some of our natural inclinations, we have to fight against a part of ourselves. The problem is that we try to use reason against instincts. However, the instincts can be forced, but not convinced. If they are forced, the effects tend to be transitory.

3741. If one is young and consciously attractive, one finds it difficult not to become somewhat vain. One is seduced by his own attractiveness: it suffices to see how one looks at himself in the mirror.

3742. The attractiveness of adolescence is in part due to its immaturity. The uncertainty of innocence and timidity. But it can be spoiled by an unnatural precocity of social relations.

3743. La natura stabilisce leggi immutabili e i filosofi le vogliono sostituire con le loro teorie.

3744. Il merito delle grandi opere altrui (per es., musica, letteratura, pittura, ecc.) è di darci emozioni talvolta intense e di arricchire la nostra maniera di sentire ed intendere.

3745. La poesia crea un'altra realtà, la realtà delle nostre emozioni.

3746. È un peccato che non ci si possa vantare di quello che in teoria riteniamo di poter fare. Non sarebbe poi tanto difficile.

3747. Il disordine sta all'ordine come l'eccezione alla regola. Come non ci può essere una regola senza eccezioni (e il contrario), così non c'è ordine senza disordine (e il contrario). In altre parole, ordine e disordine sono parte di un piano prestabilito con regole ben precise. Per es., il disordine deve essere l'eccezione.

3748. Certo che bisogna proteggere la nostra ignoranza, ma non oltre i limiti del ridicolo.

3749. Evoluzione e involuzione sono aspetti dello stesso fenomeno. Generalmente la seconda segue la prima.

3750. Quando una bella musica finisce, quello che si provava è deluso dall'irrilevanza del silenzio che segue.

3751. Se non piace pensare, si può sempre coltivare la gentilezza delle proprie emozioni.

3743. Nature establishes immutable laws and philosophers want to substitute them with their theories.

3744. The merit of the great works of others (e.g., music, literature, painting, etc.) is to give us emotions, sometimes intense, and to enrich our manner of feeling and of comprehending.

3745. Poetry creates another reality, the reality of our emotions.

3746. It is a pity that we can not boast of that which in theory we believe we are able to do. It would not be that difficult.

3747. Disorder is to order like exception is to rule. As there can not be a rule without exceptions (and the converse), likewise there is no order without disorder (and the converse). In other words, order and disorder are part of a pre-established plan with definite rules. E.g., disorder must be the exception.

3748. Certainly we must protect our ignorance, but not beyond the limits of the ridiculous.

3749. Evolution and involution are aspects of the same phenomenon. In general, the latter follows the former.

3750. When a beautiful music ends, what we were feeling is disappointed by the insignificance of the following silence.

3751. If one does not like thinking, one can always cultivate the gentleness of one's own emotions.

3752. L'erudizione ha un suo fascino: il piacere di conoscere. Provvede un ricco sottofondo d'interessanti informazioni che aumentano le dimensioni della comprensione. Anche il piacere estetico (che deriva, per es., da una tragedia) ha le sue curiosità circa il sottofondo che l'erudizione esplora criticamente.

3753. Il rapporto d'intimità tra una madre e i suoi figli comincia prima ancora che siano nati e dura tutta una vita con la stessa intensità.

3754. Un paradosso acuto rischiara le penombre delle verità.

3755. Le limitazioni degli animali rispetto alla razza umana sono tante. Per esempio, tutti i cani abbaiano, ma nessuno canta.

3756. Per un corpo femminile devastato dall'età, il miglior reggiseno è la modestia.

3757. Se scegliessimo noi come cambiare le cose e gli eventi, si avrebbe un calo enorme di varietà per mancanza d'originalità.

3758. Se la gente si crede di essere alla moda vestendosi male, alla buon gusto non rimane altro che essere silenziosamente imbarazzato.

3759. Naturalmente ci sono tante forme di bellezza, ma non quante le forme di bruttezza.

3760. Nella bruttezza, si cercano infinite variazioni non per l'assenza di buon gusto, ma per la presenza di cattivo gusto.

3752.   Erudition has its fascination: the pleasure of knowledge. It provides a rich background of interesting information that enhances the dimension of comprehension. Even the aesthetic pleasure (that derives, e.g, from a tragedy) has its curiosity about the background that erudition critically explores.

3753.   The relationship of intimacy between a mother and her children begins before they are born and lasts a whole life with the same intensity.

3754.   A keen paradox brightens the twilight of truths.

3755.   The limitations of the animals with respect to the humankind are quite a few. E.g., all dogs bark, but none sings.

3756.   For a feminine body devastated by age, the best brassière is modesty.

3757.   If we were to choose how to change things and events, there would be an enormous decrease of variety due to lack of originality.

3758.   If people believe to be fashionable by dressing shabbily, to good taste it is only left to be silently embarrassed.

3759.   Naturally there are many forms of beauty, but not as many as the forms of ugliness.

3760.   In ugliness, infinite variations are sought not due to the absence of good taste, but due to the presence of bad taste.

3761. Il rigoglio dei vizi declina con l'età non perché si diventa più morigerati, ma perché il corpo si indebolisce. È per questo che il rigoglio dei vizi può essere rimpianto.

3762. Le grandi risate che si sentono ad un ricevimento sono dovute al fatto che chi parla ha bevuto e chi ascolta anche. L'euforia dell'alcol fa sembrare acuto quello che si dice o si ascolta. Una breve vacanza da quel noioso del buon senso.

3763. Il protrudere della pancia sembra appartenere alla geografia delle dune, per quanto le dune possono essere assai attraenti.

3764. La prima cosa che i neonati fanno è di mettersi a piangere, forse per timore del nuovo ambiente. Sono troppo piccoli e immaturi per piangere di commozione per l'inizio della grande avventura umana.

3765. La distinzione dei nobili non manca d'alterigia. Si basa sulla coscienza (reale o simulata) di una presunta superiorità, spesso basata solo sulla ricchezza, la padronanza del galateo, l'accento e l'abitudine alla subordinazione degli altri.

3766. Le gaffe sono il risultato d'insicurezza e poca accortezza. Spesso, si ha il garbo di arrossire.

3767. Taluni confondono le parole con i fatti. Se le parole sembrano loro eleganti, le stimano più dei fatti, come se le parole non fossero dei suoni a cui la memoria tutto al più presta un giorno. A mano che non dicano qualcosa che colpisce fortemente.

3761.   The luxuriance of vices declines with age not because one becomes more sober, but because the body weakens. That is why the luxuriance of the vices may be regretted.

3762.   The roaring laughter heard at parties is due to the fact that the talkers have been drinking and the listeners too. The euphoria of alcohol makes what is said or heard seem sharp. A brief vacation from that bore of common sense.

3763.   The bulge of the belly seems to belong to the geography of the dunes, although the dunes may be quite attractive.

3764.   The first thing that the neonates do is to start crying, perhaps for fear of the new environment. They are too small and immature to cry out of the emotion of beginning the great human adventure.

3765.   The distinction of the nobles does not lack haughtiness. It is based on the consciousness (real or simulated) of a presumed superiority, often based only on wealth, the mastery of etiquette, the accent and the habit to the subservience by others.

3766.   Blunders are the results of insecurity and of little sagacity. Often, we have the good taste of blushing.

3767.   Some confuse words with facts. And if words seem to them elegant, they value them more than facts, as if words were not sounds to which memory at most lends a day. Unless they say something very striking.

3768. La parole sono più importanti dei fatti se sono il mezzo per esprimere concetti ed idee che cambiano quello che si fa. O esprimono una bellezza che seduce. In tal caso, le parole sono messaggere indispensabili e non solo suoni.

3769. A giudicare dalle apparenze, tanta gente o guadagna tanto o spende di più di quello che guadagna.

3770. La decadenza spesso si associa alla raffinatezza. Per alcuni, una raffinatezza talvolta ai limiti dell'affettazione.

3771. L'esasperazione fisica della femminilità dà l'impressione di una prostituta, e quella della mascolinità dà l'impressione che abbia preso in prestito una vanità poco maschile.

3772. Le necessità dell'evoluzione della funzione: i teneri baci che davano al loro fidanzato ora li danno ai loro figlioletti.

3773. Qualcuno dà poco, perché non può evitare di dar nulla (per es., in chiesa).

3774. Tante variazioni del vestire sono frivole, ma spesso questo è parte della loro piacevolezza.

3775. La necessità della varietà: si va a visitare quei luoghi dove non siamo mai stati e solo per quello.

3776. Le cose che si dicono nella comune conversazione sono differenti singolarmente, ma immutabili come categoria.

3768.   Words are more important than facts if they are the means to express concepts and ideas that change what we do. Or express a beauty that seduces. In that case, words are indispensable messengers and not mere sounds.

3769.   Judging from the appearances, many either earn a lot or spend more than what they earn.

3770.   Decadence often is associated with refinement. For some, a refinement sometimes at the limits of affection.

3771.   The physical exasperation of femininity gives the impression of a prostitute, and that of masculinity gives the impression of having borrowed a non-masculine vanity.

3772.   The necessity of the evolution of function: the tender kisses that they gave to their fiancé now they give to their babies.

3773.   Some give little, because they can not avoid giving nothing (e.g., in church).

3774.   Many variations in clothing are frivolous, but often this is a part of their pleasantness.

3775.   The necessity of variety: we go to visit those places where we have never been and only for that reason.

3776.   What we say in the common conversation is singly different, but immutable as a category.

3777.   La comune conversazione è spesso come il cinguettio degli uccelli: un piacevole scambio di suoni innocenti, per quanto la malignità non è così innocente.

3778.   Mentalmente, si va in pensione quando ci si sente vecchi. A ogni età.

3779.   Dal punto di vista morale, le leggi umane che violano le leggi divine espresse nella genetica sono illegali.

3780.   Certi sentimenti, come l'odio, inquinano l'Io.

3781.   Bisogna saper intrattenere, altrimenti si fa ridere, ma perché siamo maldestri, non spiritosi. Un riso derisivo.

3782.   Non è la mancanza di peccati, ma la presenza di virtù che ci salverà.

3783.   In certa musica leggera, il ritmo esprime una semplice gioia di vivere.

3784.   Si vive solo quando si provano emozioni.

3785.   Stranamente, il silenzio pesa di più a chi ha meno da dire.

3786.   La mente si mantiene agile ed attuale anche dimenticando le cose insignificanti.

3787.   Le soluzioni della semplicità tendono ad essere le più durature.

3777.   Common conversation is often like the chirping of the birds: a pleasant exchange of innocent sounds, although malevolence is not so innocent.

3778.   Mentally we retire when we feel old. At any age.

3779.   From a moral point of view, the human laws that violate the divine laws expressed in genetics are illegal.

3780.   Some feelings, like hatred, defile the Self.

3781.   We should be capable of entertaining, otherwise we make people laugh, but because we are clumsy, not witty. A derisive laughter.

3782.   It is not the lack of faults, but the presence of virtue that will save us.

3783.   In some light music, the rhythm expresses a simple joy of living.

3784.   We live only when we feel emotions.

3785.   Strangely, silence weighs more to those who have less to say.

3786.   The mind keeps agile and up-to-date also be forgetting the insignificant.

3787.   The solutions of simplicity tend to be the most lasting.

3788.   Spesso si critica quello che non si capisce. Talvolta, proprio perché non lo si capisce.

3789.   Studiamo noi stessi come studiamo gli altri, perché parte di noi ci è sconosciuta e talvolta incomprensibile.

3790.   Le miserie della nostra umanità ci permettono di non perdere il senso della misura.

3791.   La curiosità della mente non può essere acritica.

3792.   Qualcuno fa di tutto non tanto per essere disprezzato, ma per meritarsi di essere disprezzato.

3793.   La meschinità si risente di più quando è trattata generosamente.

3794.   Si può anche perdonare la cattiveria, ma non la spietatezza.

3795.   Per certa gente, il buon senso è una lingua straniera che non parlano né intendono.

3796.   In taluni casi, l'altrui generosità solo aumenta il nostro egoismo.

3797.   Quale che siano le deficienze altrui, il buon senso suggerisce che sono le nostre deficienze che prima di tutto dovremmo affrontare.

3798.   L'euforia del vino è piacevolmente dissociata dalla legge di gravità: non da quella fisica, ma da quella della mente.

3788.   Often we criticize what we do not understand. Sometimes, just because we do not understand it.

3789.   We study ourselves as we study others, because part of our Self is unknown and sometimes incomprehensible to us.

3790.   What is mean in our humanity allows us not to lose the sense of measure.

3791.   The curiosity of the mind can not be uncritical.

3792.   Some do their utmost not so much to be despised, but to deserve to be despised.

3793.   Pettiness resents it more when it is treated generously.

3794.   One could even pardon wickedness, but not pitilessness.

3795.   For some people, common sense is a foreign language that they do not speak nor understand.

3796.   In some instances, the generosity of others only increases our selfishness.

3797.   No matter what are the deficiencies of others, it is our deficiencies that first of all we should face.

3798.   Euphoria of wine is pleasantly dissociated from the law of gravity. Not from the physical one, but from that of the mind.

3799.   L'odio non è mai così volatile come quando si è inna-
morati

3800.   Abbiamo bisogno di essere grati a Dio, nostro Padre,
per aver dato a noi (e solo a noi esseri umani) la *sensibilità* che
ci fa apprezzare la bellezza della natura, delle arti, dei sentimenti delicati, delle emozioni gentili, dei pensieri commoventi,
dell'amore, dei sogni, delle speranze, dell'alternarsi delle stagioni, del miracolo della vita, ecc. Senza questo dono della sensibilità (anche senza contare tutti gli altri doni), la nostra vita
perderebbe la finezza di emozioni squisitamente intime.

3799.   Hatred is never so volatile as when one is in love.

3800.   We will need to be grateful to God, our Father, for having given to us (and only to us human beings) the *sensibility* that enables us to appreciate the beauty of nature, of the arts, of delicate sentiments, of gentle emotions, of moving thoughts, of love, of dreams, of hopes, of the alternating of seasons, of the miracle of life, etc. Without this gift of sensibility (even without reckoning all the other gifts), our life would lose the finesse of exquisitely intimate emotions.